WORKBOOK

Enric Figueras
Boise State University

LAB MANUAL

Lisa Nalbone
University of Central Florida

to Accompany

Comunicación y cultura

Fourth Edition

Eduardo Zayas-Bazán
East Tennessee State University

Susan M. Bacon
University of Cincinnati

PEARSON

Prentice
Hall

Upper Saddle River, New Jersey 07458

Sr. Acquisitions Editor: *Bob Hemmer*
Editorial Assistant: *Pete Ramsey*
Sr. Director of Market Development: *Kristine Suarez*
Sr. Development Editor: *Julia Caballero*
Production Supervision: *Claudia Dukeshire*
Editorial/Project Management: *Natalie Hansen and Sue Katkus, PreMediaONE*
Asst. Director of Production: *Mary Rottino*
Assistant Editor: *Meriel Martínez Moctezuma*
Media Editor: *Samantha Alducin*
Media Production Manager: *Roberto Fernandez*
Prepress and Manufacturing Buyer: *Brian Mackey*
Interior Design: *PreMediaONE*
Cover Design: *PreMediaONE and Lisa Boylan*
Director, Image Resource Center: *Melinda Reo*
Interior Image Specialist: *Beth Boyd Brenzel*
Manager, Rights and Permissions IRC: *Zina Arabia*
Executive Marketing Manager: *Eileen Bernadette Moran*
Publisher: *Phil Miller*

This book was set in 11/14 Meridien Roman by PreMediaONE,
A Black Dot Group Company and was printed and bound by
Von Hoffman Press. The cover was printed by Von Hoffman Press.

© 2005 by Pearson Education, Inc.
Upper Saddle River, New Jersey 07458

Printed in the United States of America

10 9 8 7 6 5 4

ISBN: 0-13-117551-3

Pearson Education LTD., London
Pearson Education Australia PTY, Limited, Sydney
Pearson Education Singapore, Pte, Ltd
Pearson Education North Asia Ltd, Hong Kong
Pearson Education Canada, Ltd, Toronto
Pearson Educación de México, S.A. de C.V.
Pearson Education Malaysia Pte. Ltd
Pearson Education, Upper Saddle River, New Jersey

CONTENTS

		Workbook	Lab Manual
	NOTE TO THE STUDENT	IV	
1	Hola, ¿qué tal?	1	25
2	¿De dónde eres?	39	61
3	¿Qué estudias?	71	97
4	¿Cómo es tu familia?	109	129
5	¿Cómo pasas el día?	143	167
6	¡Buen provecho!	181	201
7	¡A divertirnos!	213	233
8	¿En qué puedo servirle?	241	261
9	Vamos de viaje	271	291
10	¡Tu salud es lo primero!	299	319
11	¿Para qué profesión te preparas?	329	353
12	El futuro es tuyo	361	385
13	¿Oíste las noticias?	395	415
14	¡Seamos cultos!	425	441
15	¿Te gusta la política?	447	467

NOTE TO THE STUDENT

This *Workbook/Lab Manual* was created to accompany *¡Arriba! Comunicación y cultura, Fourth Edition* and *Brief Edition*.

The *Workbook* activities are designed to help you further develop your reading and writing skills while practicing the vocabulary and grammar points featured in your textbook. Each lesson in the *Workbook* segments corresponds to the topics presented in your textbook and is divided into three sections: **Primera parte, Segunda parte,** and **Nuestro mundo.** Each **parte** focuses on the particular vocabulary and grammar points of the textbook and is divided into three subsections: **¡Así es la vida!, ¡Así lo decimos! Vocabulario,** and **¡Así lo hacemos! Estructuras.** The **Nuestro mundo** section is divided into two subsections: **Panoramas** and **Taller.** The **Panoramas** section provides an opportunity to further explore the cultural aspects presented in the textbook. The **Taller** section allows you to enhance your reading and writing skills through a variety of practical approaches, including Internet searches and open-ended writing exercises. Finally, the **¿Cuánto sabes tú?** section provides additional opportunities to review the main grammatical points studied in each lesson.

The purpose of the *Lab Manual* segments is to serve as a rewarding experience that will enhance your proficiency in Spanish. Take full advantage of all that the *Lab Manual* segments have to offer. When you have completed the *Lab Manual* activities, take the time to work on your pronunciation to improve your oral proficiency in Spanish. Each of the activities blends grammar and vocabulary topics from the textbook to provide optimum learning to you, the student. The *Lab Manual* segments were designed, in part, based on comments from students who have enjoyed using the text since its first edition. They also reflect improvements based on years of experience in using *¡Arriba! Comunicación y cultura.* If you feel that the speakers on the audio go too fast, you are not alone. There are several ways that you can improve your understanding:

- Listen to the audio a while longer to pinpoint the trouble spots and to pick up the gist of the exercise.
- After you have determined the trouble spots, listen to the audio again, with your textbook open to the corresponding pages.
- If needed, ask your professor to show you the Audioscript.

Although this method might take a little extra time, your efforts will start to pay off quickly. By listening to the audio and repeating what you hear, you will gain valuable skills in speaking Spanish. Because the activities in the *Lab Manual* segments carefully match the content of the textbook, you are very likely to fill in any comprehension gaps.

¡Bienvenidos!

1   Hola, ¿qué tal?

Workbook

PRIMERA PARTE

¡Así es la vida!

1-1 Saludos y despedidas. Reread the conversations in **¡Así es la vida!** on page 4 of your textbook and indicate whether each statement is true (**C: cierto**) or false (**F: falso**).

En la cola

C   F   1. El chico se llama Jorge Hernández.

C   F   2. La chica se llama Elena Acosta.

En clase

C   F   3. La estudiante se llama María Luisa Gómez.

C   F   4. La profesora se llama profesora Gómez.

En el pasillo

C   F   5. Jorge está muy bien.

C   F   6. Rosa está muy mal.

En la biblioteca

C   F   7. José Manuel no está muy bien.

C   F   8. La señora Peñalver está bastante bien.

¡Así lo decimos! Vocabulario

1-2 ¿Saludo o despedida? Decide if each expression should be used as a **saludo** or **despedida,** and choose the correct answer.

1. Adiós.

   a. saludo   b. despedida

2. Hasta pronto.

   a. saludo   b. despedida

3. Hasta mañana.

   a. saludo   b. despedida

4. Hasta luego.

   a. saludo   b. despedida

5. Buenos días.

   a. saludo   b. despedida

6. Buenas noches.

   a. saludo   b. despedida

7. ¿Qué hay?

   a. saludo   b. despedida

8. ¡Hola!

   a. saludo   b. despedida

1-3 ¿Formal o informal? Imagine that you are at a party in which you talk to friends as well as older people you don't know. How would you ask a friend and then a stranger the following questions? Match the question in English with the correct question in Spanish.

1. How are you? (*friend*)

2. How are you? (*stranger*)

3. And you? (*friend*)

4. And you? (*stranger*)

5. How's it going? (*friend*)

6. How's it going? (*stranger*)

7. What's your name? (*friend*)

8. What's your name? (*stranger*)

a. ¿Y usted?

b. ¿Cómo te llamas?

c. ¿Cómo estás?

d. ¿Cómo se llama usted?

e. ¿Cómo te va?

f. ¿Cómo está usted?

g. ¿Y tú?

h. ¿Cómo le va?

1-4 Respuestas. Imagine that you are speaking with several friends and strangers at the party. How would you respond to the following questions or statements? Choose the most appropriate answer.

1. ¿Qué tal?

   a. ¡Buenos días!   b. Más o menos.   c. ¿Cómo te llamas?

2. ¡Buenos días!

   a. ¡Buenos días!   b. Hasta luego.   c. Mucho gusto.

3. ¡Hasta mañana!

   a. ¿Y usted?   b. Adiós.   c. ¿Cómo te va?

4. ¿Cómo te va?

   a. Hola.   b. Hasta pronto.   c. Bastante bien.

5. ¡Buenas noches!

   a. ¡Buenos días!   b. No muy bien.   c. ¡Buenas noches!

6. ¡Mucho gusto!

   a. Más o menos.   b. Igualmente.   c. Gracias.

7. ¿Cómo estás?

   a. ¿Qué tal?   b. No muy bien.   c. Hasta pronto.

1-5 Conversaciones. Complete each conversation logically by writing in the appropriate words or phrases. Select from the list provided for each set.

1. adiós   cómo estás   gracias   tú   usted

   Sr. Morales: Hola, Felipe! ¿_____?

   Felipe: Muy bien, _____. ¿Y _____,

   señor Morales?

   Sr. Morales: No muy bien.

   Felipe: _____, señor.

2. buenas tardes   el gusto es   gusto   me llamo

     Enrique: Buenas tardes.

     Carlos: ¡_____! ¿Cómo se llama usted?

     Enrique: _____ Enrique Fernández.

     Carlos: Mucho _____.

     Enrique: _____ mío.

3. adiós   buenos días   cómo está usted   muy bien

     Felipe: Buenos días, profesor Rodríguez.

Prof. Rodríguez: _____, Felipe.

     Felipe: ¿_____?

Prof. Rodríguez: _____, gracias.

     Felipe: Hasta luego.

Prof. Rodríguez: _____.

4. bien   cómo estás   tú

     Juana: Hola, Jorge, ¿_____?

     Jorge: Más o menos, Juana, ¿y _____?

     Juana: _____, gracias.

¡Así lo hacemos! Estructuras

1. The Spanish alphabet

1-6 Emparejar. Match the Spanish letter with the correct explanation.

_____ 1. Spanish **g**   a. letter that can be a semivowel or a consonant

_____ 2. Spanish **k**   b. letter that is pronounced like the English *th* in much of Spain

_____ 3. Spanish **b**   c. letter that is pronounced like the hard English *h* before *e* or *i*

_____ 4. Spanish **y**   d. letter that appears in words borrowed from other languages

_____ 5. Spanish **z**   e. one of two letters that are pronounced exactly alike

2. The numbers 0–100

1-7 Más números. Complete the following sequences in a logical manner.

1. _____, catorce, quince, dieciséis, _____

2. _____, diez, doce, catorce, _____

3. _____, veinte, veintiuno, veintidós, _____

4. _____, treinta y seis, cuarenta y siete, cincuenta y ocho, _____

5. _____, sesenta, setenta, ochenta, _____

6. _____, treinta, veintinueve, veintiocho, _____

7. _____, ochenta, ochenta y cinco, noventa, _____

8. _____, sesenta y seis, setenta y siete, ochenta y ocho, _____

9. _____, siete, cinco, tres, _____

10. _____, treinta, cuarenta y cinco, sesenta y uno, _____

1-8 Las matemáticas. Imagine that Pedro is practicing his math facts. How would he complete each of the following equations? Write the missing number in Spanish.

1. Once menos _____ son dos.

2. Treinta más _____ son noventa.

3. Ochenta menos _____ son diez.

4. Tres por _____ son cuarenta y ocho.

5. Quince entre _____ son cinco.

6. Dos por _____ son cuarenta.

7. Cien menos _____ son cuarenta y nueve.

8. Doce entre _____ son dos.

9. Once más _____ son treinta y dos.

10. Ocho entre _____ son dos.

1-9 Números de teléfonos. Write the telephone number in each advertisement in Spanish.

1. Número Uno Taxi _____

2. Plazas de Garaje _____

3. The days of the week, the months, and the seasons

1-10 Los días de la semana. Write, in Spanish, the day of the week that completes the sequence.

1. martes, _____, jueves

2. domingo, _____, martes

3. miércoles, _____, viernes

4. lunes, _____, miércoles

5. jueves, _____, sábado

6. sábado, _____, lunes

7. viernes, _____, domingo

1-11 Los meses del año. Complete by writing in Spanish the missing month in sequence.

1. enero, febrero, _____

2. _____, julio, agosto

3. noviembre, diciembre, _____

4. mayo, _____, julio

5. _____, octubre, noviembre

6. marzo, _____, mayo

7. _____, septiembre, octubre

8. _____, mayo, junio

1-12 Los días, los meses y las estaciones. Circle all the days of the week, the months, and the seasons in the puzzle.

C	O	D	I	C	I	E	M	B	R	E	V	O	S
E	P	S	S	E	T	R	A	M	U	I	A	S	A
A	B	R	I	L	T	E	D	A	E	U	G	E	B
J	A	N	I	N	V	I	E	R	N	O	O	P	A
U	U	O	V	M	A	E	N	Z	A	T	S	T	D
E	J	L	A	A	A	E	R	O	M	O	T	I	O
V	U	E	I	Y	S	V	C	A	O	Ñ	O	E	G
E	N	E	R	O	R	A	E	T	N	O	L	M	N
S	I	T	F	E	B	R	E	R	O	O	O	B	I
T	O	O	C	T	U	B	R	E	A	O	M	R	M
N	O	V	I	E	M	B	R	E	A	S	R	E	O
L	U	N	E	S	E	L	O	C	R	E	I	M	D

1-13 ¿Cierto o falso? Read the following statements and indicate whether the statement is **cierto (C)** or **falso (F)**.

C   F   1. El invierno es en enero.

C   F   2. Abril tiene treinta días.

C   F   3. Hay (*there are*) once meses en un año.

C   F   4. El verano tiene un mes.

C   F   5. La Navidad es en la primavera.

C   F   6. El día de los enamorados es en agosto.

C   F   7. Agosto tiene treinta y un días.

C   F   8. Hay dos estaciones en un año.

Segunda parte

¡Así es la vida!

1-14 Fuera de lugar. Choose the letter corresponding to the word that does not fit in each group.

1. a. papel
   b. libros
   c. cuaderno
   d. puerta

2. a. silla
   b. lápiz
   c. mesa
   d. puerta

3. a. el estudiante
   b. el mapa
   c. la estudiante
   d. la profesora

4. a. bolígrafo
   b. reloj
   c. lápiz
   d. papel

¡Así lo decimos! Vocabulario

1-15 En la clase. Imagine that you are a Spanish instructor. How would you tell your students to do the following?

MODELO: Tell a student to write in Spanish.
             Escriba (Escribe) en español.

1. Tell a student to answer in Spanish.

   _____

2. Tell students to listen.

   _____

3. Tell a student to go to the board.

   _____

4. Tell students to study the lesson.

   _____

5. Tell a student to read the lesson.

   _____

6. Tell a student to close the book.

   _____

1-16 ¿Qué hay en la mochila? Imagine that a classmate has invited you to have lunch with him and his family. His little brother is very curious about what you have in your book bag. Answer his questions based on the model.

MODELO: ¿Qué hay en la mochila? (books)
             Hay unos libros.

¿Qué hay en la mochila?

1. (*pencils*) Hay _____ .

2. (*pens*) Hay _____ .

3. (*a notebook*) Hay _____ .

4. (*a map*) Hay _____ .

5. (*papers*) Hay _____ .

1-17 ¿Qué hay en la clase? Write at least seven items that are in your classroom.

MODELO: *Hay una pizarra.*

1. _____

2. _____

3. _____

4. _____

5. _____

6. _____

7. _____

1-18 En la librería. Imagine that you are taking inventory in a bookstore warehouse. Write out, in Spanish, the number of each item you have in stock. Make the necessary changes to keep gender agreement between the number and the item.

1. 21 _____ mesas

2. 31 _____ bolígrafos

3. 66 _____ lápices

4. 16 _____ relojes

5. 1 _____ mapa

6. 30 _____ diccionarios

7. 71 _____ cuadernos

8. 100 _____ libros

9. 10 _____ sillas

10. 18 _____ mochilas

1-19 Los colores. Find and circle the names of ten colors in the puzzle.

E	D	M	A	L	B	M	H	J	F	Y
S	A	Z	U	L	O	D	A	S	O	R
T	D	M	A	R	R	O	N	E	E	C
R	A	N	A	R	A	N	J	A	D	O
A	C	D	L	R	S	H	O	R	R	A
O	O	P	M	C	I	I	D	G	E	E
W	S	O	J	O	R	L	E	S	V	N
P	U	E	N	D	G	N	L	S	T	E
Ñ	D	P	O	Q	U	R	I	O	R	B

1-20 Los antónimos. Match the opposite adjectives in the following lists.

_____ 1. simpático   a. inteligente

_____ 2. interesante   b. caro

_____ 3. grande   c. mala

_____ 4. tonto   d. pequeña

_____ 5. buena   e. perezoso (*lazy*)

_____ 6. trabajador   f. aburrido

_____ 7. barato   g. antipático

_____ 8. tímida   h. extrovertida

¡Así lo hacemos! Estructuras

4. Nouns and articles

1-21 El artículo definido. Write the correct form of the definite article for each noun.

1. _____ sillas

2. _____ pupitres (*student desks*)

3. _____ relojes

4. _____ mesa

5. _____ pizarras

6. _____ borrador (*eraser*)

7. _____ papel

8. _____ mapa

9. _____ mochila

10. _____ bolígrafo

1-22 El artículo indefinido. Write the correct form of the indefinite article for each noun.

1. _____ lápiz

2. _____ relojes

3. _____ mochila

4. _____ silla

5. _____ mapas

6. _____ tiza

7. _____ pupitres

8. _____ escritorio (*desk*)

9. _____ pizarras

10. _____ mesa

1-23 ¡A cambiar! Change the gender of each noun.

MODELO: el profesor
              la profesora

1. el señor _____

2. el hombre _____

3. el alumno _____

4. la estudiante _____

5. el chico _____

6. la niña _____

7. la mujer _____

8. la muchacha _____

1-24 ¿Masculino o femenino? Indicate whether the following nouns are masculine or feminine by placing an **M** or **F** before each noun.

1. _____ libro

2. _____ microscopio

3. _____ clase

4. _____ mapa

5. _____ pupitre

6. _____ tiza

7. _____ lápiz

8. _____ universidad

9. _____ pizarra

10. _____ borrador

1-25 Del plural al singular. Change each phrase from plural to singular.

MODELO: los libros grandes
el libro grande

1. las clases interesantes _____

2. unos diccionarios pequeños _____

3. los papeles blancos _____

4. unos cuadernos anaranjados _____

5. las sillas azules _____

6. los relojes redondos _____

7. los pupitres caros _____

8. unas mesas cuadradas _____

1-26 En la librería. Imagine that you work at a bookstore. A customer calls and asks if you carry certain items. Complete his questions and the affirmative answers.

MODELO: ¿Hay una mochila?
Sí, hay unas mochilas.

1. a. ¿Hay _____ bolígrafo?

   b. Sí, hay _____.

2. a. ¿Hay _____ libros?

   b. Sí, hay _____.

3. a. ¿Hay _____ mapa?

   b. Sí, hay _____.

4. a. ¿Hay _____ lápices?

   b. Sí, hay _____.

5. a. ¿Hay _____ computadora?

   b. Sí, hay _____.

6. a. ¿Hay _____ cuaderno?

   b. Sí, hay _____.

7. a. ¿Hay _____ papeles?

   b. Sí, hay _____.

8. a. ¿Hay _____ pizarra?

   b. Sí, hay _____.

5. Adjective form, position, and agreement

1-27 ¡A completar! Fill in the blanks with the correct forms of the words in parentheses.

MODELO: *la* pizarra *negra* (el / negro)

1. _____ relojes _____ (un / caro)

2. _____ señoritas _____ (el / antipático)

3. _____ señora _____ (el / trabajador)

4. _____ profesores _____ (un / aburrido)

5. _____ profesora _____ (un / interesante)

6. _____ clase _____ (el / grande)

7. _____ luces _____ (el / amarilla)

8. _____ libros _____ (el / azul)

1-28 No... Tony likes to practice Spanish with his friend Isabel, but he sometimes uses the wrong gender. How would Isabel correct the following questions? Fill in the blanks following the model.

MODELO: ¿Es una estudiante mala?
No, es un estudiante malo.

1. ¿Son unos señores extrovertidos?

   No, son _____.

2. ¿Son unos profesores simpáticos?

   No, son _____.

3. ¿Es un estudiante tímido?

   No, es _____.

4. ¿Es una señorita fascinante?

   No, es _____.

5. ¿Es una estudiante inteligente?

   No, es _____.

6. ¿Son unos profesores aburridos?

   No, son _____.

7. ¿Es una señora buena?

   No, es _____.

8. ¿Son unas señoritas trabajadoras?

   No, son _____.

1-29 En general. Imagine that a friend is making observations about things at the university or in your class. Complete the sentence with the the correct answer.

MODELO: Los libros negros son...
baratos.

1. Los escritorios marrones son...

   a. caro.   b. caros.   c. caras.   d. cara.

2. Las mochilas grises son...

   a. caro.   b. caros.   c. caras.   d. cara.

3. Los relojes grandes son...

   a. barata.   b. baratas.   c. baratos.   d. barato.

4. Las mesas son...

   a. blancos.   b. blanca.   c. blancas.   d. blanco.

5. Los cuadernos son...

   a. amarillo.   b. amarillos.   c. amarilla.   d. amarillas.

6. Los estudiantes son...

   a. trabajadoras.   b. trabajador.   c. trabajadores.   d. trabajadora.

7. Las clases son...

   a. aburrida.   b. aburridos.   c. aburrido.   d. aburridas.

8. Los libros en la mesa son...

   a. pequeño.   b. pequeños.   c. pequeñas.   d. pequeña.

1-30 En clase. Complete the following descriptions of people and objects you know. Use colors, adjectives of nationality, or descriptive adjectives.

1. El libro de español es _____.

2. El cuaderno es _____.

3. El/La profesor/a es _____.

4. Las sillas son _____.

5. Los estudiantes son _____.

6. La pizarra es _____.

6. Subject pronouns and the present tense of *ser* (to be)

1-31 Los sujetos. Choose the corresponding subject pronoun for each person or group of people.

1. Charo

   a. yo   b. usted   c. ella

2. Susana y yo

   a. ellos/as   b. nosotros/as   c. yo

3. Quique y Paco

   a. ellos   b. nosotros   c. vosotros

4. Las profesoras

   a. ellas   b. ustedes   c. ellos

5. Tú y yo

   a. nosotros/as b. ellos/as   c. vosotros

6. Ustedes y yo

   a. ustedes   b. nosotros/as   c. vosotros

7. Francisco

   a. él   b. ella   c. tú

8. Anita, Carmen y Pepe

   a. yo   b. ellos   c. ellas

9. Lucia, Mercedes y Lola

   a. tú   b. ellos   c. ellas

10. Beto y las estudiantes

    a. nosotros   b. ellos   c. ustedes

11. Mongo y ellas

    a. ellas   b. ellos   c. ustedes

12. Toño y tú

    a. nosotros/as b. ustedes   c. usted

1-32 Francisco Figueres Rivera. Complete Francisco's description with the correct form of the verb **ser.**

¡Hola! Me llamo Francisco Figueres Rivera y mi apodo (1) _____ Paco. (2) _____ de

Sevilla, (3) _____ español. Mi papá (4) _____ colombiano y mi mamá

(5) _____ española. Mis padres (6)_____ muy trabajadores. Mis padres y yo

(7) _____ muy simpáticos. ¿De dónde (8) _____ tú? ¿Cómo (9) _____ tú, y

cómo (10) _____ tu clase de español?

1-33 Identidades. Use the words provided and the correct form of the verb **ser** to form complete sentences or questions. Remember to change the forms of articles and adjectives as necessary.

MODELO: yo / ser / un / alumna / puertorriqueño
Yo soy una alumna puertorriqueña.

1. nosotros / ser / el / profesores / estadounidense

   _____

2. Ana y Felipe / ser / el / estudiantes / perezoso

   _____

3. ¿ser / tú / el / estudiante (*female*) / argentino?

   _____

4. Marisol / ser / un / señora / delgada

   _____

5. ¿ser / ustedes / el / estudiantes / francés?

   _____

6. ¿ser / usted / el / señor / mexicano?

   _____

7. María Eugenia / ser / un / señorita / dominicano

   _____

8. Mongo y Guille / ser / un / chico / delgado y simpático

   _____

9. ustedes y yo / ser / español

   _____

10. Cheo y yo / ser / un / estudiante / inteligente

   _____

1-34 Combinación. Write at least six sentences in Spanish by combining the appropriate items from each column. Remember to change adjectives when necessary.

yo		venezolano
Pepe y Chayo		argentino
tú		puertorriqueño
	ser	
Mongo y yo		dominicano
tú y él		trabajador
ella		paciente

1. _____

2. _____

3. _____

4. _____

5. _____

6. _____

1-35 Ramón y Rosario. Complete the conversation between Ramón and Rosario with the correct form of the verb **ser.**

Mongo: Hola, me llamo Ramón Larrea Arias y mi apodo (1) _____ Mongo.

Rosario: Mucho gusto, Mongo. (2) _____ Rosario Vélez Cuadra.

Mongo: ¿De dónde (3) _____?

Rosario: (4) _____ puertorriqueña, ¿y tú?

Mongo: (5) _____ panameño, pero mis padres (6) _____ colombianos.

Rosario: ¿Cómo (7) _____ tu clase de inglés?

Mongo: Mi clase (8) _____ muy interesante y todos nosotros (9) _____ muy

trabajadores.

Rosario: Y, ¿cómo (10) _____ la profesora?

Mongo: La profesora (11) _____ muy simpática. Ella (12) _____ canadiense.

(13) _____ de la ciudad de Vancouver.

Rosario: ¡Ay! (14) _____ las doce en punto. Mucho gusto, Mongo. Hasta luego.

Mongo: Mucho gusto. Adiós, Rosario.

NUESTRO MUNDO

Panoramas

1-36 ¡A informarse! Based on the information from **Nuestro mundo** on pages 32–33 of your textbook, decide if the following statements are **cierto (C)** or **falso (F).**

1. Hay muchos hispanos en el suroeste de los EE.UU.

2. En las capitales suramericanas no hay rascacielos (*skyscrapers*).

3. Las capitales suramericanas son pequeñas.

4. En muchas capitales hay contaminación (*pollution*).

5. Santa Fe de Bogotá es la capital de Venezuela.

6. El nombre de Santa Fe de Bogotá es de origen indígena y español.

7. En la cordillera de los Andes no hace mucho frío.

8. En el Amazonas hay mucha vegetación.

1-37 Tu propia experiencia. Make a list of all the Spanish-speaking countries in the world. Then choose one that you would like to visit and explain why.

1-37 Tu propia experiencia. Make a list of all the Spanish-speaking countries in the world. Then choose one that you would like to visit and explain why.

_____

_____

_____

_____

_____

_____

_____

_____

Taller

1-38 La comunidad: Una entrevista

Primera fase. Identify a native Spanish speaker at your university or in your community whom you can interview. Write four or five things you might tell or ask him/her.

_____

_____

_____

_____

Segunda fase. Interview the person you identified using the expressions and questions from the **Primera fase.** If no native speakers are available, interview a classmate or your professor.

_____

_____

_____

_____

Tercera fase. Summarize the information you learned about the person you interviewed. Include one or two sentences describing his/her personality.

_____

_____

_____

_____

1-39 Cultura: Geografía. The geography of the Spanish-speaking world is amazingly varied and beautiful. Select a city or region in the Spanish-speaking world and list the geographical features of that area. How have these features influenced the culture, cuisine, language, and so forth of the Hispanic community? You may write in English, if you wish.

_____

_____

_____

_____

1-40 Más allá de las páginas. Identify all the words you know from the poem found on page 36 of your textbook. Replace the adjectives with other adjectives you know, the nouns with other nouns you know, and so forth, and rewrite the poem with all the new words.

_____

_____

_____

_____

1-41 La clase. Write a brief paragraph describing your classroom. Name as many objects as you can, including information about number and color. Describe your classmates' nationalities. End with a description of your professor.

_____

_____

_____

_____

_____

¿Cuánto sabes tú?

1-42 ¿Sabes saludar y despedirte? Choose the most logical response to each **saludo** or **despedida.**

1. Buenos días.

   a. ¿Y tú?

   b. Buenos días.

   c. Adiós.

   d. Encantado/a.

2. ¿Cómo estás?

   a. Muchas gracias.

   b. Bien, gracias.

   c. Hasta mañana.

   d. Lo siento.

3. Mucho gusto.

   a. ¿Cómo te llamas?

   b. Bien, gracias.

   c. Regular.

   d. El gusto es mío.

4. Hasta mañana.

   a. Hola.

   b. Adiós.

   c. ¿Qué hay?

   d. ¿Y usted?

1-43 ¿Sabes matemáticas? Solve the following calculations. Write out the answer in Spanish.

1. $53 + 14 = $ _____ .

2. $66 - 33 = $ _____ .

3. $33 \times 3 = $ _____ .

4. $10 + 14 = $ _____ .

5. $20 \times 5 = $ _____ .

1-44 ¿Sabes los días, meses y estaciones? Fill in the blanks with the corresponding name of the day of the week, the month, or the season.

1. El día de la Independencia es el cuatro de _____ .

2. Navidad es el veinticinco de _____ .

3. El día de San Valentín es el catorce de _____ .

4. Halloween es el treinta y uno de _____ .

5. Los días del fin de semana (*weekend*) son el _____ y el _____ .

6. En _____ hace mucho frío (*it's cold*).

7. En _____ hace mucho calor (*it's hot*).

8. Entre (*between*) el martes y el jueves, hay el _____.

9. Septiembre, octubre y _____ son los meses de _____.

10. Marzo, _____ y mayo son los meses de _____.

1-45 ¿Sabes sobre mi escuela? Fill in the blanks with the appropriate form of the verb **ser.**

Hola. (1) _____ Roberto. Yo (2) _____ un estudiante trabajador. Mi hermana

Julia no (3) _____ perezosa, ella (4) _____ trabajadora. En la escuela, las

clases (5) _____ un poco aburridas, pero los profesores (6) _____ muy

inteligentes. Hay veinticuatro estudiantes en mi clase. ¡Ellos (7) _____ muy simpáticos!

Nosotros (8) _____ muy buenos estudiantes. Mi clase (9) _____ grande y las

paredes (*walls*) (10) _____ blancas.

Lab Manual

Primera parte

¡Así es la vida!

1-46 ¿Formal o informal? Listen to the following conversations. After hearing each conversation, indicate with a check mark whether the relationship between the people is formal or informal.

	1	2	3	4	5	6	7	8
Formal								
Informal								

¡Así lo decimos! Vocabulario

1-47 ¡Hola! ¿Qué tal? Listen to the following speakers as they initiate a conversation. Then select the letter that corresponds to the most appropriate response. Finally, listen and repeat as the speaker gives the correct answer.

1. a. Mucho gusto. Yo soy Pablo Santos.

   b. El gusto es mío.

   c. Estoy regular.

2. a. Buenos días.

   b. El gusto es mío.

   c. Bastante bien, gracias.

3. a. Encantada.

   b. El gusto es mío.

   c. Muy bien, ¿y usted?

4. a. Muchas gracias, soy Felipe.

   b. Es Felipe.

   c. Me llamo Felipe.

5. a. Adiós, buenas tardes.

   b. Muy bien, adiós.

   c. Bastante bien, gracias.

Pronunciación

The Spanish vowels

Each Spanish vowel consists of one clear, short sound that varies little in pronunciation. The crisp sound contrasts with English where often a vowel consists of two sounds, or diphthonged glides,[1] as in the words *note, mine,* and *made.*

Las vocales. The Spanish vowels are pronounced as follows.

1. The **a** is like *a* in *father.*

   casa   **mañana**   **papá**   **Marta**

2. The **e** is like the sound in the English word *eighty.*

   Pepe   **mes**   **té**   **mete**

3. The **i** is like *e* in the English word *me.*

   ti   **sí**   **mi**   **libro**

4. The **o** is like a shortened *o* in the English word *so.*

   poco   **tono**   **rosa**   **caso**

5. The **u** is like the *oo* sound in the English word *moon.*

   luna   **usted**   **uno**   **Susana**

[1]Pronounce the words given (*note, mine,* and *made*) out loud, listening to the sound of the vowels in each word. You should note a slight change in the sound as you pronounce the vowel's sound. This is a diphthonged glide.

1-48 Las vocales. You will hear a series of Spanish words. Select all letters corresponding to the words that contain the **a** sound.

1. a   b   c   d   2. a   b   c   d   3. a   b   c   d

You will now hear a different series of Spanish words. Select all letters corresponding to the words that contain the **e** sound.

4. a   b   c   d   5. a   b   c   d   6. a   b   c   d

Now listen to a series of Spanish words. Select all letters corresponding to the words that contain the **i** sound.

7. a   b   c   d   8. a   b   c   d   9. a   b   c   d

You will hear another series of words. Select all letters corresponding to those that contain the **o** sound.

10. a   b   c   d   11. a   b   c   d   12. a   b   c   d

For this final series, select all letters corresponding to the words that contain the **u** sound.

13. a   b   c   d   14. a   b   c   d   15. a   b   c   d

1-49 Imitar. Repeat the following phrases, imitating as closely as possible the speaker's pronunciation.

1. la clase de español

4. los siete días de la semana

2. ¿Cómo se llama usted?

5. la luz azul

3. ¿Qué tal, Lola?

¡Así lo hacemos! Estructuras

1. The Spanish alphabet

1-50 ¿Cuál es la letra? Write down the letters as you hear the speaker spell several phrases aloud. The speaker will confirm your responses.

1. ____ ____ ____ ____ ____ / ____ ____ ____ ____ ____.

2. ____ ____ ____ ____ ____ / ____ ____ ____ ____ ____.

3. ____ ____ ____ / ____ ____ ____ ____.

1-51 ¿Cómo se escribe? Read aloud and spell the following words in Spanish. Then listen and repeat as the speaker gives the correct answer.

MODELO: You see: Marta
You say: *eme-a-ere-te-a*

1. español

5. Ricardo

2. gracias

6. regular

3. Jorge

7. llama

4. Víctor

8. Gutiérrez

2. The numbers 0–100

1-52 Las matemáticas. Write out the correct answers to the following math problems in Spanish. Then listen and repeat as the speaker gives the correct answer.

1. quince más diez

3. ocho por siete

_____

_____

2. cincuenta y cuatro menos cuarenta y tres

4. cuarenta y cinco entre nueve

_____

_____

5. sesenta y seis entre tres

_____

7. quince por cuatro

_____

6. ochenta y tres menos doce

_____

8. noventa y nueve entre nueve

_____

3. The days of the week, the months, and the seasons

1-53 ¿Qué día es? Complete each statement with the appropriate day of the week. Then listen and repeat as the speaker gives the correct answer.

1. Hoy es lunes, mañana es...

5. Hoy es miércoles, mañana es...

2. Hoy es jueves, mañana es...

6. Hoy es domingo, mañana es...

3. Hoy es martes, mañana es...

7. Hoy es sábado, mañana es...

4. Hoy es viernes, mañana es...

1-54 ¿Cuándo es? Name the date on which the following events occur each year. Then listen and repeat as the speaker gives the correct answer.

1. el primer (*first*) día de primavera

4. el día de la independencia de los EE.UU.

2. el primer día de invierno

5. el día de San Valentín

3. el primer día de verano

6. el día de Navidad (*Christmas*)

1-55 ¿Cuál es la fecha? Give the following dates in Spanish. Then listen and repeat as the speaker gives the correct answer.

1. 15/10

2. 12/2

3. 5/8

4. 16/1

5. 2/11

6. 20/5

7. 7/4

8. 13/3

9. 9/6

1-56 Conversaciones. Listen to the following conversations and then write their numbers next to the corresponding picture. You may need to listen to the conversations more than once.

a. _____

c. _____

b. _____

d. _____

SEGUNDA PARTE

¡Así es la vida!

1-57 En la clase. You will hear a conversation that takes place in a classroom. As you listen, check off all the items mentioned in the list. You may need to listen more than once.

_____bolígrafo   _____libros   _____profesor   _____sillas

_____mapa   _____profesora   _____cuadernos   _____mesa

_____puerta   _____estudiantes   _____mochila   _____diccionario

_____lápiz   _____pizarra   _____reloj   _____tiza

¡Así lo decimos! Vocabulario

1-58 ¡Muchos mandatos! You will hear a teacher giving various commands. In each case, number the picture that corresponds to the command.

a. _____

b. _____

c. _____

d. _____

e. _____

f. _____

1-59 ¿Pregunta o respuesta? You will hear five sentences. Two of the sentences are questions and three are answers. Your task is to complete the following chart with the sentences you hear on the recording.

PREGUNTA	RESPUESTA
¿Cuántos estudiantes hay?	
	Dos pesos.
	Es una mochila.
¿De qué color es?	
¿Qué hay en la mochila?	

Pronunciación

El silabeo (*Syllabification*)

Spanish words are divided into syllables, as follows.

1. Single consonants (including **ch, ll, rr**) are attached to the vowel that follows.

   si-lla   **ro-jo**   **me-sa**   **bo-rra-dor**

2. Two consonants are usually separated.

   tar-des   **ver-de**   **i-gual-men-te**

3. When a consonant is followed by **l** or **r,** both consonants are attached to the following vowel.

   Pa-blo   **Pe-dro**

   However, the combinations **nl, rl, sl, nr,** and **sr** are separated.

   Car-los   **is-la**   **En-ri-que**

4. In groups of three or more consonants, only the last consonant or the consonant followed by **l** or **r** (with the exceptions listed previously) begins a syllable.

   ins-ta-lar   **in-glés**   **es-cri-to-rio**

5. Adjacent strong vowels (**a, e,** or **o**) form separate syllables.

   ma-es-tro   **le-an**

6. Generally, when there is a combination of a strong vowel (**a, e,** or **o**) with a weak vowel (**i** or **u**) with no accent mark, they form one sound called a *diphthong* and the stress falls on the strong vowel.

   E-duar-do   **puer-ta**

   However, the diphthong is broken when the stress falls on either of the weak vowels, **i** or **u.** In these cases, the weak vowel carries a written accent.

   Ma-rí-a   **dí-as**

7. When two weak vowels are together, the second of the two is stressed.

   viu-da   **bui-tre**   **fui**

La acentuación (*Word stress*)

1. Words that end in a vowel or the consonants **n** or **s** are stressed on the next to the last syllable.

   mo-chi-la   **Car-los**   **re-pi-tan**

2. Words that end in a consonant other than **n** or **s** are stressed on the last syllable.

   us-ted   **to-tal**   **pro-fe-sor**

3. Words that do not follow the regular stress patterns mentioned require a written accent on the stressed syllable.

   lá-piz   **Víc-tor**   **lec-ción**

4. A written accent is used to differentiate between words that are spelled the same but have different meanings.

él (*he*)   **el** (*the*)

sí (*yes*)   **si** (*if*)

tú (*you*)   **tu** (*your*)

5. A written accent is also used on the stressed syllable of all interrogative (question) words and in exclamatory expressions.

¿Cuánto? (*How much?*)   **¿Qué?** (*What?*)   **¡Qué sorpresa!** (*What a surprise!*)

1-60 Muchas sílabas. You will hear a series of Spanish words. Indicate the correct number of syllables in each word by placing a check mark beside the appropriate number. You will hear the correct answer on the recording.

a. 1 ____ 2 ____ 3 ____ 4 ____

b. 1 ____ 2 ____ 3 ____ 4 ____

c. 1 ____ 2 ____ 3 ____ 4 ____

d. 1 ____ 2 ____ 3 ____ 4 ____

e. 1 ____ 2 ____ 3 ____ 4 ____

f. 1 ____ 2 ____ 3 ____ 4 ____

g. 1 ____ 2 ____ 3 ____ 4 ____

h. 1 ____ 2 ____ 3 ____ 4 ____

i. 1 ____ 2 ____ 3 ____ 4 ____

j. 1 ____ 2 ____ 3 ____ 4 ____

1-61 ¿Dónde está el énfasis? Listen as the speaker pronounces the following listed words and circle the syllable that is stressed.

1. reloj
2. profesor
3. lápiz
4. papel
5. bolígrafo
6. estudiante
7. diccionario
8. Luis
9. Eduardo
10. mochila

¡Así lo hacemos! Estructuras

4. Nouns and articles

1-62 ¿El, la, los o las? Read each of the following sentences, adding the appropriate form of the definite article when necessary. Then listen and repeat as the speaker gives the correct answer.

1. Es _____ profesora García.

2. Buenas noches, _____ señorita Guzmán.

3. Soy _____ doctora Méndez.

4. Estudien bien _____ mapa.

5. Cierre _____ puerta, por favor.

6. Abran _____ libro en _____ página 29.

7. Son _____ señores Pardo.

8. Pongan _____ lápices en _____ mesa.

9. Escuchen _____ la conversación.

10. Adiós, _____ señorita Peña.

1-63 ¿Qué hay en la clase? Using the cues provided and the appropriate forms of the indefinite articles, answer the question **¿Qué hay en la clase?** Then listen and repeat as the speaker gives the correct answer.

MODELO: You see: puerta
You say: *En la clase hay una puerta.*

1. ventanas

2. reloj

3. diccionarios

4. mapa

5. estudiantes

6. profesora

7. cuadernos

8. lápices

9. sillas

10. libros

1-64 ¿Qué hay en la clase? Answer the question **¿Qué hay en la clase?** using the cues provided. Then listen and repeat as the speaker gives the correct answer.

MODELO: You see: papeles / blanco
              You say: *En la clase hay papeles blancos.*

1. estudiante / trabajador

2. veinte / silla / negra

3. cuadernos / gris

4. bolígrafos / rojo y verde

5. un / profesora / extrovertido

1-65 Más de uno. Change the following sentences from singular to plural. Then listen and repeat as the speaker gives the correct answer.

1. ¿La pizarra es negra o verde? _____

2. El profesor es colombiano. _____

3. La estudiante mexicana es inteligente. _____

4. El estudiante chileno es trabajador. _____

5. La mochila azul es francesa. _____

Now change these sentences from plural to singular. Then listen and repeat as the speaker gives the correct answer.

6. Los libros franceses son interesantes. _____

7. Los estudiantes españoles son inteligentes. _____

8. ¿Las mochilas son verdes, amarillas o azules? _____

9. Las pizarras son blancas y las puertas son azules. _____

10. Los profesores panameños son trabajadores. _____

5. Adjective form, position, and agreement

1-66 ¿Cómo es tu clase? Describe your class using the cues provided. Then listen and repeat as the speaker gives the correct answer.

MODELO: You see: un / pizarra / grande / negra
           You say: *En mi clase hay una pizarra grande y negra.*

1. 18 / silla / rojo / 9 / computadora / moderna

2. tres / ventana / grande / un / reloj / pequeño

3. dos / estudiante / chileno / un / profesora / colombiano

4. 15 / cuaderno / roloj / 14 / libro / interesante

5. mesa / rojo / 15 / silla / marrón

6. Subject pronouns and the present tense of *ser* (to be)

1-67 Mis amigos. Ana, a student at the Universidad de Salamanca, is describing a picture of three of her friends, Andrea, Pablo, and Felipe. Listen to her description and complete the following sentences with the appropriate subject pronouns, as well as forms of the verb **ser.**

Hola, (1) _____ (yo) Ana. Las tres personas en la foto (2) _____ mis amigos,

Andrea, Pablo y Felipe. Nosotros (3) _____ de diferentes países. (4) _____ soy de

Sevilla, una ciudad al sur (*south*) de España. La chica en la foto (5) _____ Andrea.

(6) _____ somos inseparables. (7) _____ es baja y delgada. Andrea (8) _____

de Madrid, pero los padres de Andrea (9) _____ de Toledo. Andrea y yo (10) _____

estudiantes de medicina. El muchacho del centro (11) _____ Pablo. (12) _____ es

de Barcelona y también (13) _____ estudiante en la universidad. Pablo (14) _____

muy simpático y trabajador. El otro chico (15) _____ Felipe. (16) _____ es también

simpático y muy trabajador. Felipe (17) _____ alto y un poco gordito. Pablo

(18) _____ delgado y un poco bajo. (19) _____ son muy inteligentes.

(20) _____ somos muy buenos amigos.

1-68 ¡Claro que sí! Answer the following questions affirmatively, using the appropriate subject pronouns, as well as forms of the verb **ser.** Then listen and repeat as the speaker gives the correct answer.

MODELO: You hear: ¿Somos Elvira y yo inteligentes?
            You say: *Sí, ustedes son inteligentes.*

1. Sí, _____.   7. Sí, _____.

2. Sí, _____.   8. Sí, _____.

3. Sí, _____.   9. Sí, _____.

4. Sí, _____.   10. Sí, _____.

5. Sí, _____.   11. Sí, _____.

6. Sí, _____.   12. Sí, _____.

1-69 Nacionalidades. Give the nationality of the following people and ask where the second person is from. Then listen and repeat as the speaker gives the correct answer.

MODELO: You see: Marta / Argentina / tú
            You say: *Marta es argentina. ¿De dónde eres tú?*

1. Marcos y Eric / Puerto Rico / Ana

_____

2. Ana / Bolivia / ustedes

_____

3. nosotros / República Dominicana / usted

_____

4. yo / Panamá / Lucía y Roberto

_____

5. Lucía y Roberto / Colombia / tú

_____

¿Cuánto sabes tú?

1-70 El primer día de clases. Write an appropriate response to the following questions or statements. Because answers will vary, compare your answer to the answer that is provided. Then read your response to practice communication and pronunciation.

1. _____

2. _____

3. _____

4. _____

5. _____

1-71 ¿Cómo se dice? How would you accomplish the following communication tasks in Spanish? After completing each item, listen and repeat as the speaker gives the correct answer.

1. Request politely that someone open the door.

   _____

2. Tell Professor Martín that you are pleased to meet her.

   _____

3. Ask if there are some papers on the desk.

   _____

4. Tell someone that the classroom is big.

   _____

5. Ask how much the pencils and notebooks cost.

   _____

6. Say that the books are expensive.

   _____

7. Ask your instructor to please repeat the question.

   _____

8. Tell two other students to write the exercises with a pen.

   _____

2   ¿De dónde eres?

Workbook

PRIMERA PARTE

¡Así es la vida!

2-1 ¿Cierto o falso? Reread the conversations in **¡Así es la vida!** on page 40 of your textbook and indicate whether each statement is **cierto (C)** or **falso (F)**.

C   F   1. José es español.

C   F   2. Isabel es dominicana.

C   F   3. Daniel es de la capital de España.

C   F   4. María es de Barcelona.

C   F   5. Paco es del sur de España.

C   F   6. Los padres de María son de Barcelona.

C   F   7. Las clases de Paco son por la mañana.

C   F   8. La clase de álgebra es a las diez.

¡Así lo decimos! Vocabulario

2-2 Nacionalidades. Terry explains where some of her friends and acquaintances are from. Complete each of her explanations with the correct form of the corresponding adjective of nationality.

MODELO: Luisa y Ramón son de Puerto Rico.
              Son puertorriqueños.

1. Ana es de Colombia. Es _____.

2. Federico es de La Habana, Cuba. Es _____.

3. Nosotras somos de Buenos Aires, Argentina. Somos _____.

4. Alicia es de la República Dominicana. Es _____.

5. Los profesores son de México. Son _____.

6. La señora Prieto es de Caracas, Venezuela. Es _____.

7. Eva y Claire son de Toronto, Canadá. Son _____.

8. Anita y Lucía son de Panamá. Son _____.

2-3 También. For each person or group of people that Diego describes, a person or group of people can be described in the same way. How would you tell him this? Write your response to each of these statements, changing the gender of the people from masculine to feminine or vice versa.

MODELO: El señor pelirrojo es mexicano.
         La señora pelirroja es mexicana también.

1. El profesor argentino es delgado.

   _____

2. Los jóvenes morenos son norteamericanos.

   _____

3. Las chicas simpáticas son panameñas.

   _____

4. La señora guapa es chilena.

   _____

5. El novio español es alto.

   _____

6. El padre es puertorriqueño y rubio.

   _____

7. Los muchachos son inteligentes y trabajadores.

   _____

8. La chica es delgada y joven.

   _____

2-4 Muchas preguntas. Imagine that you've just met Susana and you are trying to get to know her. Taking Susana's answers into consideration, complete each question with the most appropriate interrogative words from the word bank. You will have to use one of the interrogative words twice.

| Cómo | De dónde | De qué | Dónde | Qué | Quién | Quiénes |

1. ¿_____ te llamas?

   Me llamo Susana.

2. ¿_____ eres?

   Soy de los EE.UU.

3. ¿_____ estudias?

   En la universidad.

4. ¿_____ estudias?

   Historia y matemáticas.

5. ¿_____ ciudad eres?

   Soy de Houston.

6. ¿_____ son estos (*these*) en la foto?

   Son mis padres y Antonio.

7. ¿_____ es Antonio?

   Es un amigo.

8. ¿_____ es?

   Es alto, delgado y muy simpático.

2-5 Los contrarios. Some people are contradictive and seem to oppose everything you say. How would they respond to each of the following statements? Match each statement with the opposing adjective.

1. Las estudiantes son pobres. No, son _____.   a. perezosa

2. El libro es bonito. No, es _____.   b. morena

3. Es una clase buena. No, es una clase _____.   c. viejo

4. Adela es muy trabajadora. No, es muy _____.   d. ricas

5. Los estudiantes son antipáticos. No, son _____.   e. mala

6. La mochila es nueva. No, es _____.   f. pequeñas

7. El profesor es joven. No, es _____.   g. feo

8. El cuaderno es barato. No, es _____.   h. caro

9. Las sillas son grandes. No, son _____.   i. vieja

10. La profesora es rubia. No, es _____.   j. simpáticos

2-6 En la cafetería. Imagine that you have just met someone in the cafeteria. He asks you the following questions. How would you answer? Use complete sentences.

1. ¿Cómo te llamas? _____

2. ¿De qué país eres? _____

3. ¿De qué ciudad eres? _____

4. ¿Cómo eres? _____

5. ¿Cómo es tu clase de español? _____

6. ¿De dónde es el/la profesor/a de español? _____

2-7 Nombres, apodos y direcciones. Reread the **Comparaciones** section about names on page 56 of your textbook. Then answer the following questions about the business cards.

Eduardo Soto España
Director Ejecutivo

Palomo 305 - 3º
Tel. 392-4971/3855
2013 - 6047
Caracas

Comisión de Intercambio Educativo
Entre Estados Unidos y Venezuela
(Fullbright Commission)

José Sigüenza Escudero
Tomasa Miranda de Sigüenza

C/ El Molino, 11   QUEL (Logroño)
Teléfono 39 21 37

Aníbal Ruiz Pérez
Departamento de Matemáticas
Universidad de Puerto Rico,
Río Piedras

José Bernardo Fernández

SERVICIO DE VIAJES RODRÍGUEZ TRAVEL SERVICE

Antonio Rodríguez
DIRECTOR GENERAL

PASEO DE CABALLOS 371   TELS. 21-14-75 Y
58300 MONTERREY,   21-14-93
MÉXICO   TELEX 4902384 HOTME

1. ¿De dónde es Aníbal Ruiz Pérez?

   a. Departamento de matemáticas   b. Puerto Rico   c. España

2. ¿De qué país es Eduardo Soto España?

   a. España   b. Estados Unidos   c. Venezuela

3. ¿De dónde es Antonio Rodríguez?

   a. director general   b. México   c. en su oficina

4. ¿Cuál es el apodo de José?

   a. Pancho   b. Tony   c. Pepe

5. ¿Quién es Tomasa Miranda de Sigüenza?

   a. esposa de José   b. hija de José   c. madre de José

6. ¿Quién se llama Pérez?

   a. la madre de Antonio   b. la madre de Aníbal   c. la madre de Eduardo

¡Así lo hacemos! Estructuras

1. Telling time

2-8 Horario (*schedule*) de clases. Read Carolina's schedule and match each activity with the correct time.

1. _____ Tiene clase de biología a la una en punto de la tarde.   a. 11:15 A.M.

2. _____ Tiene clase de español a las diez y cuarto de la mañana.   b. 9:05 A.M.

3. _____ Tiene clase de arte a las siete y media de la noche.   c. 1:00 P.M.

4. _____ Tiene clase de francés a las once y cuarto de la mañana.   d. 7:30 P.M.

5. _____ Tiene clase de matemáticas a las cinco menos cuarto de la tarde. e. 4:45 P.M.

6. _____ Tiene clase de historia a las nueve y cinco de la mañana.   f. 10:15 A.M.

2-9 Los horarios de vuelo. Read the timetable of AEROMEDitariano flights and answer the following questions.

(Horarios sujetos a posibles variaciones)

España - Italia (IDA)   AEROMEDitariano

RUTA	VUELO	DÍAS	SALIDA	LLEGADA
MADRID-ROMA*	AZ1373	DIARIO	07:55	10:20
MADRID-ROMA*	AZ367	DIARIO	12:50	15:15
MADRID-ROMA*	AZ365	DIARIO	17:55	20:20
MADRID-MILÁN	AZ1377	DIARIO	08:15	10:20
MADRID-MILÁN	AZ1355	DIARIO	12:20	14:25
MADRID-MILÁN	AZ355	DIARIO	18:25	20:30

Teléfonos de Información y Reservas:
- Madrid-Ciudad: 559 95 00 (De lunes a viernes, de 9 a 19h.)
- Aeropuerto de Barajas: 305 43 35 (Todos los días, de 7 a 19h.)
- AEROMED Premium Program: 900 210 599 (De lunes a viernes, de 9 a 17h.)

*Más de 150 conexiones a 40 ciudades de todo el mundo.

1. ¿A qué hora es la salida (*departure*) del vuelo AZ 1373?

   a. 18:25   b. 07:55   c. 10:20   d. 14:25

2. ¿Cuántos vuelos (*flights*) diarios hay de Madrid a Milán?

   a. tres   b. uno   c. seis   d. dos

3. ¿A qué hora es la llegada (*arrival*) del vuelo AZ 1377?

   a. 12:50   b. 20:30   c. 10:20   d. 15:15

4. ¿A cuántas ciudades hay conexiones?

   a. cuarenta   b. ciento cincuenta   c. tres   d. dos

5. ¿Cuál es el número del teléfono de información en Madrid?

   a. 559 95 00   b. 305 43 35   c. 900 210 599   d. 367 13 73

2. Formation of yes/no questions and negation

2-10 ¿No? Unscramble each group of words to form statements with tag questions.

MODELO: ¿verdad? es Mariberta de Colombia
              Mariberta es de Colombia, ¿verdad?

1. ¿no? / son / muy delgados / Arturo y David

   _____

2. es / inteligente / la estudiante / ¿cierto? / cubana

   _____

3. Verónica / ¿verdad? / se llama / la señora

   _____

4. gordo / ¿no? / es / Toño / bajo y

   _____

5. es / ¿sí? / Gregorio / simpático

   _____

2-11 De mal humor. Your friend is in a bad mood and says no to everything you say. Fill in the blanks to form affirmative and negative sentences.

Modelo: Luisa / ser / trabajador
Luisa es trabajadora.
Luisa no es trabajadora.

1. Pepe / ser /venezolano

   Pepe _____ venezolano.

   Pepe _____ venezolano.

2. Arturo y Miguel / ser / inteligente

   Arturo y Miguel _____ inteligentes.

   Arturo y Miguel _____ inteligentes.

3. Beto y Mongo / ser / pobre

   Beto y Mongo _____ pobres.

   Beto y Mongo _____ pobres.

4. Tú y yo / ser / canadiense

   Tú y yo _____ canadienses.

   Tú y yo _____ canadienses.

2-12 Preguntas y respuestas. A new friend has many questions to ask you. First, fill in the blanks to make yes/no questions. Then fill in the blanks to answer the questions.

Modelo: Tú eres de Bilbao.
¿Eres de Bilbao?
No, no soy de Bilbao, soy de Barcelona.

1. Tú eres de Salamanca.

   ¿_____ de Salamanca?

   No, no _____ de Salamanca, soy _____ Madrid.

2. Los estudiantes son de Valencia.

   ¿_____ de Valencia?

   No, _____ son de Valencia, son de Alicante.

3. Rosa y Chayo son de Santander.

   ¿_____ de Santander?

   No, no _____ de Santander, son _____ Oviedo.

4. Tú eres de Madrid.

   ¿_____ de Madrid?

   No, no _____ de Madrid, soy de Sevilla.

5. El profesor de matemáticas es aburrido.

   ¿_____ aburrido?

   No, no _____ aburrido, es interesante.

3. Interrogative words

2-13 ¿Cuáles son las preguntas? You heard the answers in an interview but you didn't catch the questions. Choose the questions that prompted each response.

MODELO: Soy Antonio Ramírez.
¿Quién es usted?

1. Soy de Santiago de Compostela.

   a. ¿Quién eres?   c. ¿Cómo eres?

   b. ¿De dónde eres?   d. ¿Qué eres?

2. El profesor es muy simpático.

   a. ¿Quién es el profesor?   c. ¿Cómo es el profesor?

   b. ¿De dónde es el profesor?   d. ¿Qué es el profesor?

3. Los estudiantes de la clase son inteligentes.

   a. ¿Cómo se llaman los estudiantes?   c. ¿De dónde son los estudiantes?

   b. ¿Qué son los estudiantes?   d. ¿Cómo son los estudiantes?

4. La mochila es de Raúl.

   a. ¿Cómo es la mochila?   c. ¿Cómo es Raúl?

   b. ¿De dónde es Raúl?   d. ¿De quién es la mochila?

5. Los estudiantes venezolanos son Carlos, Andrés y Rafael.

   a. ¿De dónde son los estudiantes?

   b. ¿Quiénes son los estudiantes venezolanos?

   c. ¿Cómo son los estudiantes venezolanos?

   d. ¿Qué son los estudiantes venezolanos?

6. El examen es a las dos de la tarde.

   a. ¿Cómo es el examen?   c. ¿Por qué hay examen?

   b. ¿Cuándo es el examen?   d. ¿Dónde es el examen?

2-14 Las decisiones. You have entered a contest and must decide between the use of **qué** or **cuál(es),** based on the context, in order to be the winner.

MODELO: *¿Qué hora es?*

1. ¿_____ de los estudiantes es Cheo?

2. ¿_____ son tus clases interesantes?

3. ¿_____ hay en la clase de español?

4. ¿_____ hora es?

5. ¿_____ día es hoy?

6. ¿_____ es el libro de español?

2-15 En la clase. The new student has many questions about the class. Complete her questions with the correct interrogative word from the word bank.

Cuál(es)   Cuándo   Cuántas   De dónde   De qué   Por qué   Qué   Quiénes

1. ¿_____ no hay un escritorio en la clase?

2. ¿_____ es el examen de español?

3. ¿_____ es la mochila de Raúl?

4. ¿_____ mesas hay en la clase?

5. ¿_____ días hay tarea?

6. ¿_____ son los estudiantes españoles?

7. ¿_____ es la profesora Diéguez?

8. ¿_____ ciudad es la profesora?

SEGUNDA PARTE

¡Así es la vida!

2-16 Nuevos amigos. Look again at the photos on page 57 of your textbook and reread the descriptions. Then answer the questions. You may want to review the interrogative words on page 52 of your textbook before you begin.

Celia Cifuentes Bernal

1. ¿De dónde es ella?

   a. León   b. Toledo   c. Málaga   d. Bilbao

2. ¿Cuántos idiomas habla?

   a. dos   b. tres   c. cuatro   d. uno

3. ¿Cuáles son?

   a. inglés   b. inglés y español   c. inglés, español y francés   d. francés y español

4. ¿Qué estudia?

    a. matemáticas   b. biología   c. medicina   d. derecho

5. ¿Cuándo es el examen de biología?

    a. hoy   b. esta tarde   c. mañana por la mañana   d. mañana por la tarde

6. Son fáciles los exámenes de la profesora, ¿verdad?

    a. sí   b. no

Alberto López Silvero

1. ¿Cuántos años tiene?

    a. veintidós   b. doce   c. treinta y dos   d. cuarenta y dos

2. ¿Cuál es su (*his*) nacionalidad?

    a. mexicana   b. americana   c. europea   d. española

3. ¿Qué habla?

    a. español   b. español y un poco de inglés   c. inglés y un poco de español   d. inglés

4. ¿Qué estudia?

    a. matemáticas   b. inglés   c. derecho   d. medicina

5. ¿Cuándo trabaja?

    a. muy tarde   b. esta noche   c. por la mañana   d. por la tarde

6. ¿Dónde trabaja?

    a. en la universidad   b. en una librería   c. en casa   d. en un concierto

Adela María de la Torre Jiménez

1. ¿Es rubia o morena?

   a. rubia   b. morena

2. ¿De dónde es?

   a. Granada   b. Bilbao   c. Málaga   d. Pamplona

3. ¿Qué estudia?

   a. derecho   b. ingeniería   c. biología   d. matemáticas

4. ¿Cuándo baila con sus amigos?

   a. los domingos   b. tarde   c. sábados por la mañana   d. sábados por la noche

5. ¿Dónde baila?

   a. en una discoteca   b. en la universidad   c. en casa   d. en Málaga

Rogelio Miranda Suárez

1. ¿Qué estudia?

   a. biología   b. matemáticas   c. derecho   d. ingeniería

2. ¿Cómo son las clases?

   a. interesantes   b. difíciles   c. interesantes y difíciles   d. fáciles

3. ¿Cuándo estudia con los amigos?

   a. los lunes   b. los lunes y miércoles   c. mañana   d. los lunes, miércoles y viernes

4. ¿Cuándo practica tenis él?

   a. por la noche   b. esta tarde   c. mañana   d. los lunes, miércoles y viernes

¡Así lo decimos! Vocabulario

2-17 Actividades

Primera fase. Match each activity with the most logical expression.

1. ___ escuchar		a.	en el cuaderno
2. ___ bailar		b.	en una discoteca
3. ___ hablar		c.	mucho béisbol
4. ___ nadar		d.	historia en la universidad
5. ___ leer		e.	español, italiano, francés y un poco de inglés
6. ___ mirar		f.	en una librería
7. ___ trabajar		g.	música clásica
8. ___ estudiar		h.	la televisión
9. ___ practicar		i.	en el mar
10. ___ escribir		j.	un libro muy interesante

Segunda fase. Now write a complete sentence using each pair from the **Primera fase** and the following personal pronoun(s) as the subject. The first sentence is done for you.

1. Tú *escuchas música clásica* _____.

2. Nosotras _____.

3. Yo _____.

4. Ella y yo _____.

5. Tú y él _____.

6. Yo _____.

7. Tú y yo _____.

8. Ella y él _____.

9. Él _____.

10. Yo _____.

2-18 Fuera de lugar. Choose the letter corresponding to the word that does not fit in each group.

1. a. baloncesto   b. francés   c. italiano   d. vietnamita

2. a. tenis   b. reloj   c. natación   d. fútbol

3. a. ingeniería   b. derecho   c. mañana   d. historia

4. a. trabajar   b. practicar   c. estudiar   d. mucho

5. a. portugués   b. coreano   c. examen   d. español

6. a. arte   b. derecho   c. geografía   d. béisbol

¡Así lo hacemos! Estructuras

4. The present tense of regular -ar, -er, and -ir verbs

2-19 ¿Qué hacen? Complete each sentence with the correct form of the verb in parentheses.

1. Nosotros (caminar) _____ por las tardes.

2. Los estudiantes (preparar) _____ la lección.

3. ¿(Trabajar) _____ tú mucho?

4. Las señoritas (nadar) _____ bien.

5. Alejandro y yo (practicar) _____ mucho el fútbol.

6. ¿Qué (mirar) _____ ellos?

7. Ana y Federico (bailar) _____ muy mal.

8. Los amigos (conversar) _____ en el café.

9. Amalia y Laura (estudiar) _____ historia.

10. Yo (escuchar) _____ música popular.

Nombre: _____ Fecha: _____

2-20 Mis amigas. Complete the description of friends with the correct form of the verb in parentheses.

Mis amigas Bárbara, Isabel y Victoria (1. vivir) _____ en la residencia estudiantil.

Ellas (2. aprender) _____ inglés en la universidad y (3. asistir) _____

a clase por la mañana. Isabel y Bárbara (4. escribir) _____ inglés muy bien, pero

Victoria no (5. leer) _____ inglés muy bien. Yo (6. creer) _____ que

ella (7. deber) _____ estudiar más. Al mediodía, cuando

(8. abrir) _____ la cafetería, ellas (9. comer) _____ allí. Yo también

(10. comer) _____ con ellas en la cafetería. Victoria y yo solamente

(11. comer) _____ ensalada y (12. beber) _____ jugo. Isabel y

Bárbara (13. comer) _____ hamburguesas y (14. beber) _____ agua

mineral. Mis amigas (15. creer) _____ que es bueno ir al gimnasio después del

almuerzo, pero yo (16. creer) _____ que es mejor tomar una siesta. Y tú, ¿dónde

(17. vivir) _____?

2-21 Actividades. Everyone is busy today. Describe what each person is doing with the correct form of the verb in parentheses.

1. Adela (asistir) _____ a la clase de francés mientras yo

   (escribir) _____ una composición.

2. Mis padres (leer) _____ un libro mientras mi hermanita

   (aprender) _____ a bailar.

3. Yo (comer) _____ una ensalada mientras tú

   (beber) _____ un refresco.

4. Mi novio (abrir) _____ la puerta de la biblioteca mientras nosotros

   (leer) _____ un libro.

2-22 Preguntas y respuestas. Here are some questions a new friend asks you. Complete each question with the correct form of the verb in parentheses. Then answer the question.

1. ¿Qué (aprender) _____ en la universidad?

   _____

2. ¿A qué hora (abrir) _____ el centro estudiantil?

   _____

3. ¿Qué (beber) _____ con el almuerzo?

   _____

4. ¿Qué (deber) _____ hacer por la tarde?

   _____

5. ¿Qué (leer) _____ en la clase de inglés?

   _____

6. ¿(creer) _____ que es bueno dar un paseo después del almuerzo?

   _____

7. ¿Qué (hacer) _____ hoy por la noche?

   _____

8. ¿A qué clases (asistir) _____ hoy?

   _____

5. The present tense of *tener* (to have) and the expression *tener que* (to have to)

2-23 Tener. Complete each statement with the correct form of **tener.**

1. Tú _____ clase todos los días.

2. Él y yo _____ que estudiar esta noche.

3. Carlos y Adela _____ dos clases esta tarde.

4. Usted _____ novio/a, ¿no?

5. Nosotras _____ que hablar con María.

6. Yo _____ muchos amigos en la universidad.

2-24 Responsabilidades. List three things you have to do tomorrow and three things other people have to do.

MODELO: *Yo tengo que estudiar.*

1. Yo _____.

2. Yo _____.

3. Yo _____.

4. Mis padres _____.

5. Mi amigo _____.

6. El/La profesor/a _____.

2-25 Montserrat. Complete the following descriptions with the correct form of the verb in parentheses.

Yo (1) _____ (ser) amigo de Montserrat Pons Roy. Ella (2) _____

(ser) de Barcelona. Ella (3) _____ (tener) un trabajo y (4) _____

(estudiar) en la Universidad de Barcelona. Montserrat (5) _____ (tener) novio. Él

se llama Juan Berenguer Castells. Juan (6) _____ (ser) de Barcelona también.

Juan y Montserrat (7) _____ (estudiar) derecho. Ellos (8) _____

(practicar) el tenis cuando Juan no (9) _____ (tener) que trabajar.

¿(10) _____ (Tener) tú que trabajar hoy?

Nuestro mundo

Panoramas

2-26 ¡A informarse! Based on the information from **Nuestro mundo** on pages 70–71 of your textbook, decide if the following statements are **cierto (C)** or **falso (F).**

1. La pesca (*fishing*) en España es muy mala.

2. Las aceitunas (*olives*) se cultivan en Andalucía.

3. En España no se producen (*manufacture*) automóviles.

4. SEAT es un coche (*car*) caro.

5. El museo Guggenheim está en Bilbao.

6. El museo es diseño de un arquitecto español.

7. La Costa del Sol está en el norte de España.

8. Millones de turistas visitan España.

9. Pedro Almodóvar es un director de cine.

10. Pedro Almodóvar nunca (*never*) recibió un Óscar.

2-27 Tu propia experiencia. Think of two Spanish personalities, cities, or monuments that you know and describe them.

_____

_____

_____

_____

_____

_____

_____

_____

Taller

2-28 La vida de Marisol.

Primera fase. Read the following description of Marisol. Then answer the questions.

Marisol es una estudiante muy buena en la Universidad de Navarra. Marisol es dominicana. Tiene veinte años y es inteligente y muy trabajadora. Habla tres idiomas—español, inglés y francés. Estudia derecho en la universidad y participa en muchas otras actividades. Nada por las tardes y también practica el fútbol. Hoy tiene que estudiar mucho porque tiene un examen de derecho mañana. Ella también tiene una clase de francés. No hay muchos estudiantes en la clase, solamente nueve—tres españoles, dos chilenos, un italiano, dos portugueses y ella. La profesora es española y es muy simpática. Siempre prepara bien la lección para la clase.

1. ¿Quién es Marisol? _____

2. ¿Dónde estudia? ¿Qué estudia? _____

3. ¿En qué actividades participa Marisol? _____

4. ¿Cuántos estudiantes hay en la clase de francés? _____

5. ¿Cuáles son las nacionalidades de los estudiantes y de Marisol? _____

_____

6. ¿Cómo es la profesora de francés? _____

7. ¿Cuántos años tiene Marisol? _____

8. ¿Qué tiene que hacer Marisol hoy? _____

Segunda fase. Use the questions from the **Primera fase** as models for questions to interview a classmate. Write at least five questions that you can ask. Interview a classmate. Try to complete the student information card for him/her with the information you obtain.

1. _____

2. _____

3. _____

4. _____

5. _____

> Nombre: _____ Apellido: _____
>
> Nacionalidad: _____ Edad (*age*): _____
>
> Ciudad: _____ País: _____
>
> Concentración (*major*): _____
>
> Clases: _____   _____
>
> _____   _____
>
> _____   _____
>
> _____   _____

2-29 Tu vida universitaria. Using the description in activity **2-28** as a model, write a brief paragraph about yourself and your life in school. Be sure to include your age, physical description, activities, and responsibilities. First, fill in the necessary information for your student identification card.

> Nombre: _____ Apellido: _____
>
> Nacionalidad: _____ Edad (*age*): _____
>
> Ciudad: _____ País: _____
>
> Descripción física: _____

_____

_____

_____

_____

_____

_____

2-30 La Universidad de Salamanca. Use the Internet or library resources to find information about the University of Salamanca or another university in Spain. Look for and jot down the information in the following categories. What aspects of the university interest you?

LA HISTORIA

The founders and the year established   _____

Famous students and professors   _____

                                              _____

LOS EDIFICIOS Y LA ARQUITECTURA

Historical buildings/architecture   _____

                                              _____

New facilities   _____

                                              _____

CURSOS Y PROGRAMAS

_____   _____

_____   _____

_____   _____

_____   _____

_____   _____

2-31 Más allá de las páginas. Using the Internet, look for photos of two famous designers and describe them. State their age and nationality as well.

_____

_____

_____

_____

_____

_____

_____

_____

¿Cuánto sabes tú?

2-32 ¿Sabes qué hora es? Match the times given in Spanish with with the correct numerical time.

1. _____ mediodía   a. 7:40

2. _____ las tres y diez   b. 12:00 P.M.

3. _____ las ocho menos cuarto   c. 3:15

4. _____ las ocho y media   d. 7:45

5. _____ las tres y cuarto   e. 12:00 A.M.

6. _____ las ocho menos veinte   f. 8:30

7. _____ medianoche   g. 3:10

2-33 ¿Sabes preguntar? Fill in the blanks with the most logical interrogative word from the word bank.

Cómo   Cuántos   Dónde   Por qué   Qué   Quién

1. ¿_____ se llama tu amigo?

2. ¿_____ años tiene él?

3. ¿_____ es tu amigo?

4. ¿_____ estudia él?

5. ¿_____ es la novia de tu amigo?

6. ¿_____ vive tu amigo?

2-34 ¿Sabes de mi vida en la universidad? Fill in the blanks with the appropriate form of the verbs from the word bank. You will have to use one of the verbs twice.

aprender   asistir   comer   enseñar   estudiar   nadar   regresar   trabajar   vivir

Yo (1) _____ en la universidad. Todos los días, yo (2) _____ a mis clases. (Yo)

(3) _____ mucho en mis clases porque los profesores (4) _____ muy bien. Mis

amigos y yo (5) _____ en la cafetería al mediodía. Después, nosotros (6) _____ en

el supermercado para ganar un poco de dinero. A las cinco de la tarde, nosotros (7) _____

en la piscina (*swimming pool*) de la universidad y (8) _____ (nosotros) a casa. Yo

(9) _____ con mis padres, pero ellos (10) _____ en un apartamento cerca del

campus universitario.

2-35 ¿Sabes de obligaciones y posesiones? Fill in the blanks with the appropriate form of the verb **tener.**

1. Lucía y Marisol _____ que trabajar esta tarde.

2. Lucía _____ muchas clases en la universidad.

3. Marisol _____ mucha tarea.

4. Yo _____ que ayudar a Marisol con su tarea.

5. Nosotros _____ un examen mañana.

Lab Manual

PRIMERA PARTE

¡Así es la vida!

2-36 Tres amigos. Listen to the following conversation. Then indicate whether each of the following statements is **cierto (C)** or **falso (F)** based on what you hear. You may need to listen to the conversation more than once.

C   F   1. Marta es argentina.

C   F   2. Mateo es mexicano.

C   F   3. Clara es colombiana.

C   F   4. Marta es inteligente.

C   F   5. Mateo es simpático.

C   F   6. Clara es trabajadora.

C   F   7. Clara es de la capital.

C   F   8. Mateo es alto.

C   F   9. Mateo es inteligente.

C   F   10. Marta es de Bogotá.

¡Así lo decimos! Vocabulario

2-37 ¿Lógico o ilógico? Listen to the following questions. Then select all letters corresponding to logical answers. There may be more than one logical answer for each question.

1. a. José Blanco.

   b. Se llama José.

   c. Me llamo José.

2. a. Están muy bien, gracias.

   b. Inteligentes y trabajadores.

   c. Buenos y gordos.

3. a. Sí. ¿Tú también?

   b. Sí, de Caracas, la capital.

   c. Sí, colombianos, de Cali.

4. a. En México. Paco es de Cancún.

   b. No, soy mexicano. ¿Y tú?

   c. En México. ¿Verdad?

5. a. No, la capital es Washington, D.C.

   b. No, pero es una ciudad importante.

   c. No, es la capital.

6. a. Es de un estudiante panameño.

   b. Es de Panamá, de la capital.

   c. Son de mis padres.

Pronunciación

Linking

In Spanish, as in English, speakers group words into units that are separated by pauses. Each unit, called a *breath group*, is pronounced as if it were one long word. In Spanish, the words are linked together within the breath group, depending on whether the first word ends in a consonant or a vowel.

1. In a breath group, if a word ends in a vowel and the following word begins with a vowel, the vowels are linked.

   Tú eres de la capital. **Túe-res-de-la-ca-pi-tal.**

   ¿Cómo estás tú? **¿Có-moes-tás-tú?**

2. When the vowel ending one word and the vowel beginning the next word are identical, they are pronounced as one sound.

   una amiga **u-na-mi-ga.**

3. If a word ends in a consonant and the following word begins with a vowel, the consonant and vowel become part of the same syllable.

   ¿Él es de Puerto Rico? **¿É-les-de-Puer-to-Ri-co?**

2-38 Imitar. Listen to and repeat the following sentences, paying close attention to Spanish linking patterns.

1. Tú eres española.

2. Laura Esquivel es una autora famosa.

3. Hay una fiesta en mi apartamento ahora.

4. ¿De dónde es tu amigo?

¡Así lo hacemos! Estructuras

1. Telling time

2-39 ¿A qué hora...? Answer the questions you hear, using the times given in this activity. Then listen and repeat the correct answer after the speaker. You may need to listen to each question more than once.

MODELO: You hear: ¿A qué hora tomas el autobús?
                You see: 07:45
                You say: *Tomo el autobús a las ocho menos cuarto de la mañana.*

1. 20:45   4. 08:00

2. 07:15   5. 13:10

3. 09:30   6. 24:00

2. Formation of yes/no questions and negation

2-40 ¿Sí o no? Change the following statements to questions by inverting the subject and the verb. Then listen and repeat as the speaker gives the correct answer.

MODELO: You see: Usted es puertorriqueño.
                You say: *¿Es usted puertorriqueño?*

1. Andrea y Felipe son amigos.

2. Tú eres nicaragüense.

3. Nosotros somos novios.

4. Clara es dominicana.

5. Yo soy muy baja.

6. Ustedes son muy inteligentes.

2-41 ¡Absolutamente no! Answer the following questions negatively. Then listen and repeat as the speaker gives the correct answer.

MODELO: You see: ¿Es usted puertorriqueño?
You say: *No, no soy puertorriqueño.*

1. ¿Son Andrea y Felipe amigos?

2. ¿Eres tú nicaragüense?

3. ¿Somos nosotros novios?

4. ¿Es Clara dominicana?

5. ¿Soy yo muy baja?

3. Interrogative words

2-42 Más preguntas. Answer the questions you hear, using the cues given in this activity. Then listen and repeat the correct answer after the speaker. You may need to listen to each question more than once.

MODELO: You hear: ¿Cuándo es tu cumpleaños?
You see: 13/8
You say: *Es el trece de agosto.*

1. joven y rubia

2. 23/2

3. Pamplona

4. gordito y moreno

5. martes

SEGUNDA PARTE

¡Así es la vida!

2-43 En la cafetería. Listen to the following conversation among three students at the university cafeteria. Then select all letters corresponding to statements that are correct, according to what you hear. Listen to the recording as many times as necessary to find all the correct statements.

1. Ana está...

   a. bastante mal.

   b. bastante bien.

   c. más o menos.

2. Manuel...

   a. está más o menos.

   b. está bastante bien.

   c. tiene que trabajar.

3. Pedro y Ana son...

   a. amigos.

   b. simpáticos.

   c. estudiantes.

4. Manuel y Pedro son...

   a. amigos.

   b. estudiantes.

   c. mexicanos.

5. Ana...

   a. estudia administración de empresas.

   b. estudia ingeniería.

   c. trabaja en una empresa.

6. Pedro...

   a. estudia y trabaja.

   b. tiene una fiesta.

   c. practica tenis.

7. Manuel...

   a. estudia y trabaja.

   b. practica fútbol.

   c. practica tenis.

8. Ana...

   a. practica tenis.

   b. camina.

   c. tiene un examen de inglés.

¡Así lo decimos! Vocabulario

2-44 ¿Lógico o ilógico? Select the letter corresponding to the most logical answer to each question you hear. Then listen and repeat as the speaker gives the correct answer.

1. a. Sí, hablo francés.

   b. No, hablo francés.

   c. Sí, hablas alemán.

2. a. No, trabajamos por las tardes.

   b. Sí, practicas fútbol.

   c. Sí, vamos a nadar por las tardes.

3. a. Sí, estudia ciencias políticas.

   b. Sí, tiene un examen.

   c. Sí, estudia historia.

4. a. Esta noche camino con él.

   b. Converso con él en español.

   c. Vas a mirar los libros y conversar un poco.

5. a. Estudio esta noche y mañana.

   b. Estudian con amigos.

   c. Yo estudio derecho y Pedro estudia matemáticas.

6. a. Estudiamos por la tarde.

   b. Estudian en la cafetería.

   c. Estudiamos y practicamos tenis.

7. a. Estudio historia con Raúl.

   b. ¡Hombre, es interesante!

   c. ¡Bailo con mis amigas!

Pronunciación

Spanish intonation in questions

Intonation is the sequence of voice pitch (rising or falling) in normal speech, in accordance with the type of message intended and the context in which it is communicated. Intonation patterns in Spanish are very useful when posing questions. With yes/no questions, the pattern is somewhat different. The voice rises to an above normal pitch at the end of the question. Note the following examples.

¿Ellos son de los Estados Unidos?

¿Tú eres de la capital?

In questions that use interrogative words, the pitch level at the beginning is high and gradually falls toward the end of the question. Note the following examples.

¿De dónde es Jaime?

¿Quién es el profesor?

2-45 Unas preguntas. Practice asking questions based on the following phrases. Then listen and repeat after the speaker.

1. hay un examen mañana

2. necesitamos un lápiz para el examen

3. el libro de español es viejo

4. el profesor habla japonés

2-46 ¿Pregunta o respuesta? Listen carefully to the intonation patterns in the following sentences. Check the appropriate column to indicate whether the sentence is a question or a statement.

MODELO: You hear: ¿Juan es alto?
You mark: *Question*

QUESTION	STATEMENT
1. ___	___
2. ___	___
3. ___	___
4. ___	___
5. ___	___
6. ___	___

¡Así lo hacemos! Estructuras

4. The present tense of regular *-ar, -er,* and *-ir* verbs

2-47 Más actividades. Answer the following questions, using the words provided and the correct form of the verb. Then listen and repeat as the speaker gives the correct answer.

MODELO: You hear: ¿Miramos televisión o preparamos el examen?
You see: Nosotros (mirar) _____ televisión.
You write and say: *Nosotros miramos televisión.*

1. Sí, yo (bailar) _____ salsa.

2. Sí, nosotros (practicar) _____ fútbol.

3. Ana (escuchar) _____ la radio y yo (mirar) _____ la televisión.

4. Sí, Débora (caminar) _____ por el parque.

5. Sí, Paola y Manuel (conversar) _____ con Juan.

6. No, yo (regresar) _____ en dos días.

2-48 Muchas actividades. Complete each sentence with the correct form of the verb you hear. Then listen and repeat as the speaker gives the correct answer.

MODELO: You see: Nosotros _____ un examen mañana.
You hear: tener
You write and say: *Nosotros tenemos un examen mañana.*

1. Yo _____ fútbol por las tardes.

2. ¿Tú _____ con Elena?

3. Ella _____ por las mañanas.

4. Usted _____ en la librería, ¿cierto?

5. Nosotros _____ con el profesor Vargas.

6. Ángela y Rita _____ mucho la television.

2-49 Otras actividades. Listen for the subject and write the corresponding form of the verb in parentheses. Then listen and repeat as the speaker gives the correct answer.

MODELO: You see: (Caminar) _____ en el parque.
You hear: nosotros
You write and say: *Caminamos en el parque.*

1. (Creer) _____ que son las tres.

2. (Comprender) _____ muy bien la lección.

3. (Escribir) _____ muy bien.

4. ¿(Vender) _____ tus libros al final del semestre?

5. (Abrir) _____ el laboratorio a las 8:00.

6. (Decidir) _____ regresar pronto.

2-50 Actividades adicionales. Complete each sentence with the correct form of the verb you hear. Then listen and repeat as the speaker gives the correct answer.

1. Mis amigos _____ en la residencia estudiantil.

2. Yo _____ la lección.

3. La profesora _____ las instrucciones en la pizarra.

4. Tú _____ a la universidad.

5. Nosotros _____ la información en la clase.

2-51 Nosotros... Answer the questions you hear, using the **nosotros** form of the verb and the cues provided. Then listen and repeat as the speaker gives the correct answer.

MODELO: You hear: ¿A qué hora abren ustedes por la mañana? (9:00)
            You say: *Abrimos a las nueve.*

1. Sí, _____.

2. _____ dónde estudiar esta tarde.

3. _____ ir a estudiar en casa esta tarde.

4. _____ mucho en la clase de música.

5. _____ un trabajo para la clase de historia.

6. _____ que la biblioteca está enfrente de la Facultad de Derecho.

5. The present tense of *tener* (to have) and the expression *tener que* (to have to)

2-52 ¿Qué tienen? Using the appropriate form of the verb **tener,** tell what the following people have. Then listen and repeat as the speaker gives the correct answer.

1. yo / el disco compacto

2. Manuel y Federico / mucho tiempo

3. usted / muchas clases, ¿verdad?

4. nosotros / una clase interesante

5. Ana / profesores exigentes

6. tú / tres libros en la mochila

7. Javier y yo / la clase de inglés esta tarde

2-53 ¿Qué tienes? Answer the questions you hear affirmatively, using the appropriate form of the verb **tener.** Then listen and repeat as the speaker gives the correct answer.

MODELO: You hear: ¿Tienes un lápiz?
            You say: *Sí, tengo un lápiz.*

1. Sí, _____.

2. Sí, _____.

3. Sí, _____.

4. Sí, _____.

5. Sí, _____.

¿Cuánto sabes tú?

2-54 Preguntas personales. Answer the personal questions you hear, using complete Spanish sentences. Answers will vary.

1. _____

2. _____

3. _____

4. _____

5. _____

6. _____

7. _____

8. _____

9. _____

10. _____

11. _____

3   ¿Qué estudias?

Workbook

PRIMERA PARTE

¡Así es la vida!

3-1 ¿Recuerdas? Reread the conversations in **¡Así es la vida!** on page 78 of your textbook and answer the questions with complete sentences in Spanish.

1. ¿Qué tiene Pedro ya?

   _____

2. ¿Cuáles son las materias que va a tomar Eduardo?

   _____

3. ¿Cuántas materias tiene que tomar Pedro?

   _____

4. ¿Qué quiere Luisa de Carmen?

   _____

5. ¿Por qué le pide (*to ask for*) Luisa dinero a Carmen?

   _____

6. ¿Qué tiene que hacer Carmen ahora?

   _____

7. ¿A qué hora es la clase de biología?

   _____

8. ¿Cómo está Roberto?

   _____

9. ¿Qué tiene que hacer Roberto?

_____

10. ¿Qué idiomas estudia Roberto?

_____

¡Así lo decimos! Vocabulario

3-2 Mis clases. Tonya always talks about her classes. Complete each of the statements she makes with the corresponding word from the word bank. Make any changes that are necessary.

biblioteca	curso	gimnasio	tarea
computadora	diccionario	materia	todo

1. _____ mis clases son por la mañana.

2. Compré tres _____ para mi clase de inglés.

3. El _____ de álgebra es fácil.

4. Necesito una _____ para mi clase de informática.

5. Siempre tengo mucha _____ de cálculo.

6. Tengo que sacar unos libros de la _____.

7. Economía es una _____ difícil para mí.

8. Voy al _____ a hacer ejercicio después de clase.

3-3 El horario de Pedro Arturo. Complete the following passage with the appropriate words from the word bank. Make any changes that are necessary.

bailar	exigente	gimnasio	materias	solamente	todo
complicado	generalmente	inteligente	nadar	tarea	tomar

Pedro Arturo Ruiseño es un estudiante muy (1) _____, pero tiene un horario muy

(2) _____, porque (3) _____ muchas (4) _____.

(5) _____ tiene clases los lunes, miércoles y viernes. El martes (6) _____

tiene una clase. (7) _____ los días, Pedro Arturo tiene que hacer muchas

(8) _____ porque sus profesores son muy (9) _____. Los fines de semana

no tiene clases. Va al (10) _____ a hacer ejercicio y también (11) _____

en el mar y (12) _____ en la discoteca con su novia Rebeca.

3-4 Tu horario. Complete the chart to show your class schedule for this semester.

NOMBRE: _____						FECHA: _____				
	9 A.M.	10 A.M.	11 A.M.	12 A.M.	1 P.M.	2 P.M.	3 P.M.	4 P.M.	5 P.M.	6 P.M.
lun.										
mar.										
miér.										
jue.										
vier.										

3-5 ¿Qué clases tienen? Use the cues in parentheses and follow the model to tell what classes these people have. Fill in the blanks to give the complete information.

MODELO: A las diez y cinco, Andrés estudia la relación entre Cortés y Moctezuma y los conflictos entre los españoles y los aztecas.
Andrés tiene una clase de historia.

1. A la una y cuarto, estudiamos fórmulas y ecuaciones como $2a + b = x - y/z$.

   Nosotros _____ una clase de _____.

2. A las siete y veinticinco de la noche, estudias programas e idiomas de la computadora, como Java.

   Tú _____ una clase de _____.

3. A las tres y cuarto, estudio la construcción de un puente (*bridge*).

   Yo _____ una clase de _____.

4. A las nueve menos cinco, Paco estudia instrumentos musicales y ritmos de varias culturas.

   Paco _____ una clase de _____.

5. A las doce y media, Sofía estudia carbonos óxidos, dióxidos (*carbon monoxides, dioxides*), etcétera.

   Sofía _____ una clase de _____.

6. A las once y cuarto, mis amigos estudian el dinero, los precios (*prices*) de productos nacionales y el mercado (*market*) del país.

   Ellos _____ una clase de _____.

7. A las cuatro y cuarto, yo estudio las novelas de Carlos Fuentes y otros novelistas mexicanos.

   Yo _____ una clase de _____.

8. A las siete menos diez, Andrés estudia la clasificación de animales y plantas.

   Andrés _____ una clase de _____.

¡Así lo hacemos! Estructuras

1. Los números 101–3.000.000

3-6 La benefactora. One of the richest ladies in the world has given a number of items to the university. Spell out the numbers for each item in Spanish. Remember to watch for agreement.

1. 601 _____ calculadoras

2. 202 _____ escritorios

3. 101 _____ mapas

4. 124 _____ relojes

5. 10.212 _____ diccionarios

6. 1.500.000 _____ libros

7. 1.216 _____ pupitres

8. 799 _____ computadoras

9. 10.001 _____ pizarras

10. 1.000 _____ luces

3-7 Los viajes. Read the following advertisement. Then answer the questions by choosing the most appropriate answer.

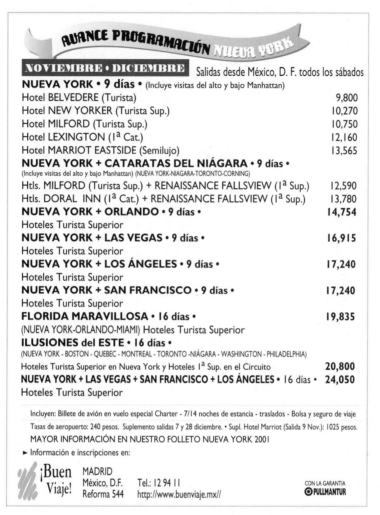

1. ¿Cuándo son las salidas (*departures*)?

   a. todos los días   b. jueves   c. todos los sábados   d. en verano

2. ¿De dónde son las salidas?

   a. Nueva York   b. Las Vegas   c. San Francisco   d. México, D.F.

3. ¿Cuánto cuesta el viaje a Nueva York y a Orlando?

   a. cuarenta mil setecientos cincuenta y cuatro pesos

   b. cuatro mil setecientos cincuenta y cuatro pesos

   c. catorce mil setecientos cincuenta y cuatro pesos

   d. mil cuatrocientos setenta y cuatro pesos

4. ¿Cuánto cuesta el viaje a Nueva York y a San Francisco?

    a. diecisiete mil doscientos cuarenta pesos

    b. mil setecientos cuarenta pesos

    c. siete mil cuatrocientos veinte pesos

    d. setenta mil doscientos cuarenta pesos

5. ¿Cuántas ciudades hay en el viaje de Florida Maravillosa?

    a. dieciséis   b. diecinueve mil   c. una   d. tres

6. ¿De cuántos días es el viaje de Ilusiones del Este?

    a. dieciséis   b. ocho   c. veinte   d. catorce

7. ¿Cuál es el viaje más caro?

    a. Nueva York   b. Florida Maravillosa   c. NY + LV + SF + LA   d. NY + LA

8. ¿En qué meses son los viajes?

    a. noviembre y diciembre   c. diciembre y enero

    b. octubre y noviembre   d. enero y febrero

3-8 La Loto. Select the most appropriate answer for the following questions.

LA LOTO		Escrutinio	
28 de mayo		**Acertantes**	**Pesos**
Combinación ganadora:	6	1	4.256.090
2 17 25 35 37 48	5+c	4	447.056
	5	101	7.082
Complementario: 31 Reintegro 7	4	6.775	167
	3	123.439	22

1. ¿Cuál es la fecha del sorteo (*drawing*)?

    a. la loto   b. escrutinio   c. veintiocho de mayo   d. seis

2. ¿Cuál es la combinación ganadora (*winning*)?

    a. 31-7   b. 4.256.090   c. 447.056   d. 2-17-25-35-37-48

3. ¿Cuántos pesos gana (*wins*) el único acertante (*winner*)?

    a. siete mil ochenta y dos pesos

    b. cuatro millones doscientos cincuenta y seis mil noventa pesos

    c. ciento sesenta y siete pesos

    d. cuatrocientos cuarenta y siete mil cincuenta y seis pesos

4. ¿Cuántos acertantes tienen todos los números?

    a. todos   b. cuatro   c. ciento uno   d. uno

5. ¿Cuántos acertantes hay con cuatro números?

    a. cuatro   b. seis mil setecientos setenta y cinco   c. uno   d. ciento uno

6. ¿Cuántos pesos gana cada uno (*each one*) de los acertantes que tiene tres números?

    a. siete mil ochenta y dos pesos

    b. veintidós pesos

    c. ciento sesenta y siete pesos

    d. ciento veintitrés mil cuatrocientos treinta y nueve pesos

2. Possessive adjectives

3-9 ¿De quién son estos objetos? Identify to whom these objects belong so that they can be returned to their owners.

MODELO: ¿De quién es la mochila? (Sara)
La mochila es de Sara.
Es su mochila.

1. ¿De quién es el bolígrafo verde? (el profesor)

   El bolígrafo verde es del profesor.

   _____ bolígrafo verde.

2. ¿De quién es el libro grande? (Ana y Sofía)

   El libro grande es de Ana y Sofía.

   _____ libro grande.

3. ¿De quién es la mochila? (Evangelina)

   La mochila es de Evangelina.

   _____ mochila.

4. ¿De quién son los lápices morados? (Alberto)

   Los lápices morados son de Alberto.

   _____ lápices morados.

5. ¿De quién es el cuaderno? (el chico)

   El cuaderno es del chico.

   _____ cuaderno.

6. ¿De quién son los diccionarios? (él)

   Los diccionarios son de él.

   _____ diccionarios.

7. ¿De quién es la calculadora? (usted)

   La calculadora es mía.

   _____ calculadora.

8. ¿De quién es el horario de clases? (ustedes)

   El horario de clases es nuestro.

   _____ horario de clases.

9. ¿De quiénes son los microscopios? (las estudiantes de biología)

   Los microscopios son de los estudiantes de biología.

   _____ microscopios.

10. ¿De quién son los papeles? (la profesora)

    Los papeles son de la profesora.

    _____ papeles.

3-10 ¿Es tu...? Roberto is trying to return several objects to their owners, but he never gets it quite right. Write the answer to each of his questions negatively, then give him the correct answer.

MODELO: ¿Son tus libros? (Esteban)
No, no son mis libros. Son los libros de Esteban.

1. ¿Es tu diccionario? (el estudiante de francés)

   _____

2. ¿Son de ustedes los bolígrafos? (tu amigo)

   _____

3. ¿Son sus libros, señor? (José Antonio)

   _____

4. ¿Es de ustedes la clase? (los estudiantes argentinos)

   _____

5. ¿Es tu calculadora? (Paco)

   _____

6. ¿Son tus lápices? (mis padres)

   _____

7. ¿Es su profesora, Juan y Ana? (María Cristina)

   _____

8. ¿Es tu borrador? (la chica dominicana)

   _____

3-11 Mis amigos. Complete David's description of his friends with the correct form in Spanish of the possessive adjective in parentheses.

(1. Our) _____ amigos José y María asisten a (2. our) _____ universidad.

(3. Their) _____ horarios son diferentes. María tiene cuatro clases. (4. Her) _____

clases son matemáticas, informática, biología y química. (5. Her) _____ clases favoritas

son química y biología, porque (6. her) _____ profesores no son muy exigentes. José tiene

cuatro materias también. (7. His) _____ materias son literatura, francés, música y

psicología. (8. His) _____ materia favorita es música. José y María tienen muchos amigos.

(9. Their) _____ amigos son (10. my) _____ amigos también. ¿Cómo son

(11. your) _____ amigos? Vas a ser (12. my) _____ amigo/a, ¿verdad?

3. Other expressions with *tener*

3-12 Asociaciones. Complete each sentence with the corresponding **tener** expression from page 88 of your textbook, based on the clues in parentheses.

MODELO: *Yo tengo miedo.* (un programa de horror)

1. Yo _____. (un refresco)

2. Nosotros _____. (un suéter [*sweater*])

3. Los chicos _____. (un fantasma [*ghost*])

4. Tú _____. (una hamburguesa)

5. La señora _____. (mucho tráfico)

6. La bebé _____. (una siesta)

SEGUNDA PARTE

¡Así es la vida!

3-13 ¿Cierto o falso? Reread the conversations in **¡Así es la vida¡** on page 92 of your textbook, and indicate if each statement is **cierto (C)** or **falso (F).**

C   F   1. Son las once y media de la noche.

C   F   2. Ana Rosa y Luis hablan en clase.

C   F   3. La librería está detrás de la Facultad de Ingeniería.

C   F   4. Ana Rosa necesita terminar una novela para la clase de literatura.

C   F   5. Luis está escribiendo una biografía de Frida Kahlo.

C   F   6. La vida de Frida Kahlo es muy fácil.

C   F   7. Luis está tranquilo.

C   F   8. La especialidad de Marisa es el arte mexicano.

C   F   9. Marisa vive cerca de la universidad.

C   F   10. Marisa sólo va a la universidad los martes y jueves.

¡Así lo decimos! Vocabulario

3-14 La universidad. Some new students on campus need help finding their classes. Answer their questions, based on the campus map and following the model.

MODELO: ¿Dónde es la clase de anatomía?
Es en la Facultad de Medicina que (that) *está en frente de la cafetería.*

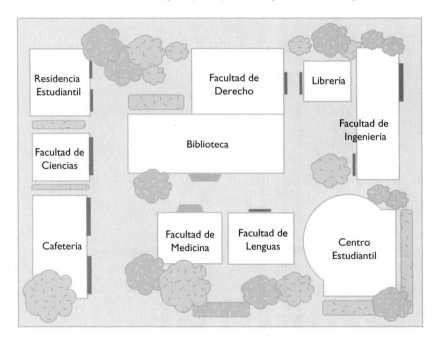

1. ¿Dónde es la clase de derecho?

   _____

   _____

2. ¿Dónde es la clase de ingeniería?

   _____

   _____

3. ¿Dónde es la clase de alemán?

   _____

   _____

4. ¿Dónde es la clase de química?

   _____

   _____

3-15 ¡Fuera de lugar! Select the letter corresponding to the word or expression that does not fit in each group.

1. a. biblioteca

   b. agua mineral

   c. café

   d. refresco

2. a. ensalada

   b. hamburguesa

   c. sándwich

   d. librería

3. a. Facultad de Arte

   b. almuerzo

   c. Rectoría

   d. residencia estudiantil

4. a. enfrente

   b. mientras

   c. al lado

   d. delante

3-16 Consejos. Imagine that your friends have a tendency to bring their problems to you. Match their problems with the appropriate advice for each problem.

1. _____ Creo que estoy enfermo. Tengo calor y mucha sed.

2. _____ Tengo un examen difícil en la clase de literatura.

3. _____ Mis amigos tienen mucha hambre.

4. _____ Tenemos que hablar con la profesora de química.

5. _____ Tenemos interés en hablar otra lengua.

6. _____ Tenemos que escribir una composición para la clase de español.

a. Es necesario preparar un almuerzo magnífico.

b. Hay que asistir a una clase de francés.

c. Hay que comprar un diccionario de español.

d. Es necesario beber mucha agua.

e. Es necesario leer muy bien la novela.

f. Hay que ir a la Facultad de Ciencias.

¡Así lo hacemos! Estructuras

4. The present indicative tense of *ir* (to go) and *hacer* (to do; to make)

3-17 ¿Adónde van? Complete each sentence with the correct form of the verb **ir** to show where each person is going.

1. Beto _____ a la universidad.

2. Susana y yo _____ a la librería.

3. Yo _____ a la biblioteca.

4. Los estudiantes _____ a la cafetería.

5. La profesora _____ al gimnasio.

6. Beto y Maribel _____ a la Facultad de Idiomas.

7. ¿Tú _____ a una fiesta?

8. María Amalia y tú _____ a la discoteca el sábado.

3-18 Mañana. Ana thinks these activities are happening today, but you know they will all take place tomorrow. Correct each of her statements, using the appropriate form of **ir a** and the infinitive.

MODELO: Estrella estudia hoy.
              No, ella va a estudiar mañana.

1. Bernardo practica el béisbol hoy.

   _____

2. Necesito mi calculadora hoy.

   _____

3. Vamos al concierto esta noche.

   _____

4. Elena conversa con sus amigos esta tarde.

   _____

5. Nuestros padres llegan tarde esta noche.

   _____

6. Cheo y tú van al gimnasio.

   _____

3-19 ¿Qué va a hacer? Match each of the following sentences with a logical related statement.

MODELO: Tenemos mucha hambre.
Vamos a comer a la cafetería.

1. _____ Pepe tiene mucha sed.

2. _____ Carlos y Juan están muy cansados.

3. _____ Laura y Virgilio están muy aburridos.

4. _____ Yo tengo un examen mañana.

5. _____ Tú tienes que hacer ejercicio.

a. Vas a ir al gimnasio.

b. Van a ir a una fiesta.

c. Van a dormir la siesta.

d. Voy a estudiar a la biblioteca.

e. Va a beber agua mineral.

3-20 En la residencia estudiantil. Complete the following description of what the students do at their dorm with the correct form of the verb **hacer.**

Mis amigas y yo vivimos en la residencia estudiantil de nuestra universidad y nosotras

(1) _____ muchas cosas todo el día. Por la mañana, yo (2) _____ ejercicio en el

gimnasio y mi amiga Elisa (3) _____ su tarea. Por la tarde, mis otras amigas Marta y Mirta

(4) _____ su trabajo. Por la noche, ellas (5) _____ la comida y siempre

(6) _____ hamburguesas. ¿Qué (7) _____ tú en la residencia estudiantil? ¿Qué vas

a (8) _____ este fin de semana?

5. The present tense of *estar* (to be) and the present progressive

3-21 ¿Cómo están? Describe the probable feelings or conditions of each person, using the appropriate form of the verb **estar** and one of the adjectives from the word bank. Remember to watch for agreement.

aburrido	cansado	enfermo	perdido
apurado	enfadado	ocupado	triste

1. ¡Son las dos y diez y mi clase es a las dos y cuarto!

   Yo _____.

2. Tienen que leer una novela, escribir una composición y estudiar para un examen.

   Ellos _____.

3. No estudiamos más. Es medianoche.

   Nosotros _____.

4. El profesor de historia habla y habla y habla. No es interesante.

   Nosotros _____.

5. El perro (*dog*) de Benito está muerto (*dead*).

   Benito _____.

6. Tú llegas muy tarde a casa sin (*without*) telefonear.

   Tus padres _____.

7. Mi novia no está bien. Va al hospital.

   Ella _____.

8. Victor no sabe (*know*) dónde está la biblioteca.

   Él _____.

3-22 ¡Apenas puedes estudiar! You've tried to study in your house, but there's too much noise. Describe what each person in the picture is doing, using the following expressions in the present progressive.

aprender a cantar   hablar por teléfono   tocar la guitarra

comer hamburguesas   hacer ejercicio   mirar la televisión

escribir una carta   preparar el almuerzo

escuchar música   dar unos refrescos

1. Ana _____.

2. Margarita _____.

3. Pepe _____.

4. Clara _____.

5. Felipe _____.

6. Marta _____.

7. Chonín _____.

8. Olga _____.

9. Alfredo _____.

10. Esteban _____.

3-23 En el teléfono. Complete the telephone conversation between Alfredo and Teresa with the correct form of the verb **estar.**

Alfredo: ¡Hola, Teresa! ¿Cómo (1) _____?

Teresa: (2) _____ bien, gracias, ¿y tú?

Alfredo: (3) _____ bien también. Oye, ¿dónde (4) _____ Eduardo?

Teresa: Él (5) _____ en su casa, porque (6) _____ muy ocupado.

Alfredo: Y, ¿dónde (7) _____ Rafaela y Sandra?

Teresa: Ellas (8) _____ enfermas. Pero, ahora yo (9) _____ preocupada. No sé (*know*) dónde (10) _____ mi novio.

Alfredo: ¿Tu novio? ¿Pedro? Ay, Teresa... Pues, él (11) _____ en un concierto en un teatro que (12) _____ cerca de aquí. Él (13) _____ con Viviana Benavides.

Teresa: ¡Con Viviana Benavides! ¡Mañana va a (14) _____ muerto!

3-24 Una conversación por teléfono. Felipe is thinking about his family and calls to see what everyone is doing. His mother picks up the telephone and answers all of Felipe's questions. Using the present progressive of the verbs in parentheses, fill in the blanks to complete the conversation. The first one has been done for you.

Felipe: ¡Hola, mamá! *¿Qué estás haciendo?* (hacer)

Mamá: (1) _____ (preparar) la comida.

Felipe: ¿Y Alberto?

Mamá: (2) _____ (jugar) al fútbol.

Felipe: ¿Y Belinda y Felo?

Mamá: (3) _____ (dormir) la siesta.

Felipe: ¿Y Érica?

Mamá: (4) _____ (servir) los refrescos.

Felipe: ¿Y mi perro?

Mamá: (5) _____ (comer).

Felipe: Bueno, hasta pronto, mamá.

Mamá: Adiós, hijo.

6. Summary of uses of *ser* and *estar*

3-25 Mi pequeño mundo. Complete the descriptions of the following people with the correct forms of the verbs **ser** or **estar**.

1. Mi novio _____ alto y delgado. _____ ecuatoriano, pero ahora _____ en los EE.UU. _____ un chico muy trabajador. _____ trabajando en una librería esta tarde. Él _____ contento aquí porque toda la familia _____ aquí también.

2. Mis primas _____ bonitas, pero esta noche _____ más bonitas porque van a una fiesta con sus novios. La fiesta _____ a las nueve. _____ las ocho ahora y ellas _____ muy contentas. La fiesta _____ en casa de una amiga.

3. Mis padres _____ fantásticos. Ellos _____ amables y aún (*still*) _____ enamorados. Su aniversario _____ mañana. Ellos _____ muy trabajadores. Mi madre _____ abogada y mi padre _____ profesor. Yo _____ muy contenta con mis padres.

3-26 Vicente. Complete Vicente's description with the correct forms of the verbs **ser** or **estar**.

—¡Hola! ¿Cómo te llamas? ¿De dónde (1) _____?

—Me llamo Vicente Bernardo Balvuena Estévez. (2) _____ mexicano, pero mis padres (3) _____ venezolanos. Ellos (4) _____ de Mérida, Venezuela, pero ahora todos nosotros (5) _____ en la Ciudad de México, que (6) _____ la capital del país y una ciudad muy bonita. La Ciudad de México (7) _____ muy grande. En la capital voy a muchos conciertos que (8) _____ divertidos. Esta noche voy a ir al concierto de Mongo Clipper. El concierto (9) _____ a las diez de la noche. (10) _____ en el teatro que (11) _____ cerca de mi casa. Voy con un amigo porque mi novia (12) _____ enferma.

3-27 Entrevista. Answer the following questions about yourself and your family by using the correct form of the verbs **ser** or **estar**.

MODELO: tú
            ¿enfermo/a?
            Sí, estoy enfermo/a. (or) *No, no estoy enfermo/a.*

tu papá / mamá / hijo/a

1. ¿de los EE.UU.? _____

2. ¿en la universidad ahora? _____

3. ¿joven? _____

4. ¿trabajando? _____

tú

5. ¿una buena persona? _____

6. ¿listo/a? _____

7. ¿listo/a para ir al cine? _____

8. ¿estudiando? _____

9. ¿alto/a? _____

ustedes (tú y tus padres / hijos)

10. ¿españoles? _____

11. ¿en casa? _____

12. ¿enfermos? _____

3-28 ¡A escribir! Write complete questions, using the words in parentheses and the correct form of the verbs **ser** or **estar.** Follow the model.

MODELO: ¿tu familia? (española)
            ¿Es española tu familia?

1. ¿tu amiga Viviana? (vieja) _____

2. ¿tus amigos Pedro y Pablo? (enfermos) _____

3. ¿tú? (contento) _____

4. ¿tus amigos? (listos para ir a la biblioteca) _____

5. ¿tu profesora de francés? (alta) _____

6. ¿tu madre? (abogada) _____

7. ¿tu perro (*dog*)? (alegre) _____

NUESTRO MUNDO

Panoramas

3-29 ¡A informarse! Based on the information from **Nuestro mundo** on pages 108–109 of your textbook, decide if the following statements are **cierto (C)** or **falso (F).**

1. Taxco es famosa por la artesanía de plata.

2. En Oaxaco se puede encontrar artesanía de madera.

3. Las maquiladoras no son importantes para la economía de EE.UU.

4. Los trabajadores de las maquiladoras ganan (*earn*) mucho dinero.

5. En las maquiladoras se producen principalmente aparatos electrónicos y componentes de automóviles.

6. Los mariachis tienen su origen en el siglo XVII.

7. "Las mañanitas" es una serenata para celebrar la Navidad.

8. Los estudiantes del Tec de Monterrey no van a estudiar a otros países.

9. Los estudiantes principiantes toman clases de ingeniería.

10. La isla de Cozumel es un lugar muy turístico.

3-30 Tu propia experiencia. Make a list of cultural facts that you know about México (festivities, traditions, old civilizations, cities, etc.). Then choose two of the facts and describe what you know about them in Spanish.

_____

_____

_____

_____

_____

_____

_____

Taller

3-31 Una conversación entre amigos

Primera fase. Alejandro and Tomás are at their favorite café. Read their conversation, and then answer the questions.

Alejandro: ¡Hola, Tomás! ¿Qué hay?

Tomás: Pues, estoy aquí porque estoy muerto de cansancio. ¡Hoy no estudio más!

Alejandro: Chico, ¿por qué estás cansado?

Tomás: ¡Ay! Tengo que trabajar en el centro estudiantil hoy y mañana, tengo que escribir una composición para la clase de literatura, necesito estudiar para un examen de química y el cumpleaños de mi novia es el jueves. Hay una fiesta para ella en mi apartamento el viernes y hay que preparar todo...

Alejandro: ¡Tranquilo, hombre! Soy tu amigo y no estoy ocupado esta semana. Voy a ayudarte (*help you*). ¿Qué necesitas?

Tomás: Hay que preparar comida y comprar refrescos para la fiesta.

Alejandro: Está bien. Yo hago eso.

Tomás: ¡Muchísimas gracias! ¡Tú sí eres mi amigo!

1. ¿Cómo está Tomás?

   _____

2. ¿Cuándo tiene que trabajar Tomás?

   _____

3. ¿Para qué clase tiene que escribir una composición?

   _____

4. ¿En qué clase tiene examen?

   _____

5. ¿Qué hay en el apartamento de Tomás el viernes? ¿Por qué?

   _____

6. ¿Cómo va a ayudar Alejandro a Tomás?

   _____

Segunda fase. Based on the conversation and the questions from the **Primera fase,** write at least four questions you can use to ask a classmate when you see him/her on campus. Then use the questions to guide a conversation in Spanish between you and a classmate from your Spanish class. Be sure to include the following points in your interview. If you cannot interview a classmate, write a conversation in Spanish that you might have with a classmate.

- Mood and feelings today
- Classes and class times today
- Schedule (today, this weekend, etc.)
- Homework and exams

1. _____

   _____

2. _____

   _____

3. _____

   _____

4. _____

   _____

3-32 México

Primera fase. Mexican culture and cuisine have been influential in many areas. Interview four U.S. or Canadian students to find out how much they know about Mexico. Use the following chart to guide and record your interviews.

	ESTUDIANTE 1	ESTUDIANTE 2	ESTUDIANTE 3	ESTUDIANTE 4
Platos (*dishes*) populares				
La capital				
El presidente				
Grupos políticos				
Geografía				
Grupos indígenas				
Artistas famosos				
Escritores (*writers*) famosos				
¿...?				
¿...?				
¿...?				

Segunda fase. Now, interview a Hispanic student or professor in your community. If possible, interview someone who is from Mexico. Form questions based on the kind of information you gathered in the **Primera fase.** Ask for information about schools and universities in Mexico, as well. Jot down the information he/she gives you, and compare it with the information from the **Primera fase.** How much do students at your university seem to know about Mexico?

MODELO: *¿Quién es el presidente de México?*
            ¿Cómo es la geografía de México?
            ¿Cómo son las universidades de México?

_____

_____

_____

_____

_____

3-33 Más allá de las páginas. The Aztecs were a very advanced civilization. In Mexico it is still possible to visit different sites and admire the Aztec ruins. Using the Internet, explore one of these sites. Explain where the site is located, what can be found there, and the significance of the site.

_____

_____

_____

_____

_____

¿Cuánto sabes tú?

3-34 ¿Sabes los números? Match the numbers with their written equivalent.

1. _____ cinco mil ciento cincuenta y cinco   a. 1.001

2. _____ doscientos veintidós mil ochocientos veintitrés   b. 515

3. _____ mil uno   c. 222.823

4. _____ veintidós mil doscientos ochenta y tres   d. 5.155

5. _____ quinientos quince   e. 22.283

3-35 ¿Sabes de posesiones? Match each possessive adjective with the item. Watch for gender and number agreement.

1. _____ nuestros   a. la computadora de ella

2. _____ vuestro   b. la calculadora de nosotros

3. _____ nuestra   c. los horarios de ustedes

4. _____ su   d. los microscopios de nosotros

5. _____ sus   e. el diccionario de vosotros

6. _____ vuestros   f. los mapas de vosotros

3-36 ¿Sabes usar el verbo *tener*? Match each **tener** expression with the most logical statement.

1. _____ La temperatura exterior es 110°F.   a. Tengo miedo.

2. _____ Él tiene 95 años.   b. Tengo sed.

3. _____ Veo una película de terror.   c. Tengo frío.

4. _____ La temperatura exterior es −10°F.   d. Tengo calor.

5. _____ Hago ejercio por dos horas.   e. Tengo cuidado.

6. _____ Está lloviendo y voy en coche.   f. Él es viejo.

3-37 ¿Sabes hacer planes? Fill in the blanks with the appropriate form of the verbs **ir** or **hacer.**

Yo (1) _____ todos los días a la biblioteca y (2) _____ mi tarea allí. Mis amigos

también (3) _____ a la biblioteca para estudiar. Después de estudiar, nosotros

(4) _____ los planes para el fin de semana. Todos los viernes, nosotros (5) _____ a

bailar a la discoteca. Los sábados, nosostros (6) _____ nuestra tarea del fin de semana y

por la noche (7) _____ a ver una película a casa de un amigo. Los domingos, yo

(8) _____ a trabajar al centro estudiantil y ellos (9) _____ a nadar a la piscina de la

universidad. Nosotros (10) _____ lo mismo (*the same*) casi (*almost*) todos los fines de

semana.

3-38 ¿Sabes la diferencia entre *ser* y *estar*? Fill in the blanks with the appropriate form of
the verbs **ser** or **estar.**

Toño (1) _____ un estudiante mexicano. Él (2) _____ estudiando en los EE.UU.

para (3) _____ ingeniero. Toño (4) _____ un buen estudiante, pero hoy

(5) _____ preocupado (*worried*) porque tiene un examen de matemáticas. Los exámenes

de matemáticas (6) _____ difíciles, pero Toño (7) _____ preparado (*ready*). La

profesora de matemáticas (8) _____ muy amable y ella (9) _____ muy contenta

porque los estudiantes (10) _____ estudiando mucho para los exámenes.

Lab Manual

PRIMERA PARTE

¡Así es la vida!

3-39 Llega el autobús. Listen to the following conversation. Then select the letters for all statements that are correct, according to the dialog. You may need to listen to the conversation more than once.

1. Antonio y Silvia hablan...

   a. de las clases.

   b. en la universidad.

   c. con un amigo.

2. Silvia toma... este semestre.

   a. cuatro materias

   b. tres materias

   c. psicología

3. Antonio toma... este semestre.

   a. seis clases

   b. tres clases por la mañana

   c. tres clases por la noche

4. La profesora Corrales es...

   a. profesora de música.

   b. exigente.

   c. aburrida.

5. Antonio tiene que...

   a. estudiar en la biblioteca.

   b. comer en la cafetería.

   c. conversar con la profesora.

¡Así lo decimos! Vocabulario

3-40 ¿Lógico o ilógico? Listen to the questions and select the letter that corresponds to the most logical answer. Then listen and repeat as the speaker gives the correct answer.

1. a. En la biblioteca yo estudio álgebra.

   b. Álgebra, química, historia e inglés.

   c. Me gustan el álgebra y la química.

2. a. ¿Estás loco? ¡Él es muy exigente!

   b. No chico, me gusta la clase.

   c. Sí, conozco a la profesora.

3. a. Es a las nueve en punto.

   b. Mi reloj tiene las nueve en punto.

   c. Es a las nueve de la mañana.

4. a. En agosto.

   b. En enero y febrero.

   c. En junio y julio.

5. a. No, solamente 250.

   b. Sí, tengo 30 pesetas.

   c. No, solamente 330.

6. a. Inés estudia en la UBA (Universidad de Buenos Aires).

   b. En la Facultad de Filosofía.

   c. En la biblioteca de la facultad.

Pronunciación

Sounds of Spanish *b*, *v*, and *p*

1. In Spanish the letters **b** and **v** are pronounced in exactly the same manner. They have two different sounds.

   At the beginning of a breath group or after the letters **m** or **n,** the **b** and **v** are pronounced like the **b** in the English word *boy,* as in the following examples. This is an occlusive sound.

   | **buen** | **vaso** | **bastante** | **vino** | **invierno** |

   In any other position, the **b** and **v** are pronounced with the lips slightly open. These are called *fricatives*.

   | **una biblioteca** | **ellos van** | **nosotros vivimos** | **la ventana** |

2. The **p** is pronounced like the English *p*, but without the strong puff of air.

   | **papa** | **papel** | **poco** | **política** | **Pedro** |

3-41 Pronunciemos. You will hear a series of words containing the letters **b** and **v (chica).** Repeat each word or phrase after the speaker. Be sure to pronounce them with your lips pressed together.

1. veces
2. biblioteca
3. vida
4. visitantes
5. buenos

6. también
7. un beso
8. bola
9. tambor
10. baile

3-42 Pronunciemos más. You will hear a series of words that contain the letters **b** and **v (chica)** within a breath group. Your lips should not be completely closed, letting air pass through them. Repeat each word or phrase after the speaker.

1. resolver
2. yo voy a hablar
3. no vamos
4. el banco
5. los labios

6. es buena persona
7. una visita
8. estoy bastante preocupado
9. muy bien
10. el viernes

3-43 Y pronunciemos más. You will hear a series of words that contain the letter **p.** When placing your hand in front of your mouth, you should not feel any puff of air. Repeat each word or phrase after the speaker.

1. Pinta

2. partir

3. pronto

4. Paco

5. pito

6. primero

¡Así lo hacemos! Estructuras

1. Los números 101–3.000.000

3-44 Más matemáticas. Solve the following addition problems out loud in Spanish. Then listen and repeat as the speaker gives the correct answer.

1. 100 + 21 = _____

2. 233 + 117 = _____

3. 3.104 + 436 = _____

4. 180.000 + 1.000.000 = _____

5. 2.129 + 811 = _____

6. 1.000 + 3.484 = _____

2. Possessive adjectives

3-45 ¿Es mío o tuyo? Complete each sentence with the appropriate possessive adjective. Then listen and repeat as the speaker gives the correct answer.

MODELO: You see: Yo miro _____ libros.
        You say: *Yo miro mis libros.*

1. Nosotras estudiamos mucho en _____ clase.

2. Ellas escuchan a _____ profesora.

3. ¿Tú tienes _____ papeles?

4. Pablo habla con _____ amigo.

5. Yo escribo en _____ cuaderno.

6. ¿Ustedes están en _____ casa por la noche?

3-46 Preguntas en la clase. Using the appropriate possessive adjective, answer each question affirmatively. Then listen and repeat as the speaker gives the correct answer.

1. ¿Es la clase de la profesora Serrano?

   Sí, _____.

2. ¿Es el libro de nosotros?

   Sí, _____.

3. ¿Es el profesor de ustedes?

   Sí, _____.

4. ¿Son tus diccionarios?

   Sí, _____.

5. ¿Son los cuadernos de Inés?

   Sí, _____.

6. ¿Es mi profesora?

   Sí, _____.

3. Other expressions with *tener*

3-47 En situaciones diferentes. Listen to what the following people are experiencing in each situation. Then listen and repeat as the speaker gives the correct answer.

1. Yo _____.

2. El niño _____.

3. Usted _____.

4. Tú _____.

5. Julia y Tomás _____.

SEGUNDA PARTE

¡Así es la vida!

3-48 Después de clase. Listen to the following conversation among three students. Then read the statements that follow. Each statement is followed by three items. Select all the items that apply to each statement. You may need to listen to the conversation more than once.

1. Estudia(n) biología.

    a. Pablo

    b. Inés

    c. Elena

2. Necesita(n) ir a la biblioteca de música hoy.

    a. Inés

    b. Pablo

    c. Elena

3. Está enfrente del laboratorio de lenguas.

    a. la librería

    b. la biblioteca de música

    c. la cafetería

4. Está al lado del centro estudiantil.

    a. la biblioteca de música

    b. la cafetería

    c. el laboratorio de lenguas

¡Así lo decimos! Vocabulario

3-49 ¿Lógico o ilógico? Complete the following sentences with the most logical choice. Then listen and repeat as the speaker gives the correct answer.

1. La cafetería...

   a. está cerca de la biblioteca.

   b. está en mi casa.

   c. vende libros.

2. Mi amigo chileno siempre...

   a. es cerca de la biblioteca.

   b. toma un bocadillo en el almuerzo.

   c. es necesario el refresco.

3. ¿Qué hora es?

   a. Está a la izquierda.

   b. Es la rectoría.

   c. Es la hora del almuerzo.

4. La rectoría está...

   a. enferma.

   b. al lado de la cafetería.

   c. después del café.

5. Usted está en la cafetería y desea un refresco. Usted dice:

   a. "Con permiso, un refresco".

   b. "Perdón, un refresco".

   c. "Por favor, un refresco".

Pronunciación

Sounds of Spanish *k*, *c*, and *z*

1. In Spanish, the **k** and the combinations **qu, ca, co,** and **cu** are pronounced like the English *c* in the word *cut*, but without the puff of air.

   kilómetro   Quito   casa   color   cuna

2. In Spanish America, the letters **c** (before **e** and **i**) and **z** are pronounced like the English *s* in the word *sense*. In most of Spain, these sounds are pronounced like the *th* in *think*.

   cena   ciudad   zapato   zona   manzana

3-50 Pronunciemos. You will hear a series of words that contain the **k** sound represented by the combinations **qu, ca, co, cu,** and the letter **k.** Listen and repeat each word after the speaker. Be sure to avoid the puff of air.

1. calculadora   6. que

2. kilo   7. casa

3. queso   8. cosa

4. kiosco   9. cura

5. Colón   10. caso

3-51 Pronunciemos más. You will now hear the **s** sound represented by the combinations **ce, ci,** and the letter **z.** Listen and repeat each word after the speaker.

1. zapato   6. ciudad

2. cesto   7. cemento

3. cine   8. cita

4. gracias   9. taza

5. cerveza   10. hace

¡Así lo hacemos! Estructuras

4. The present indicative tense of *ir* (to go) and *hacer* (to do; to make)

3-52 ¿A dónde vas? Using the words provided, tell where the following people are going. Then listen and repeat as the speaker gives the correct answer.

MODELO: You see: yo / a mi clase
                You say: *Yo voy a mi clase.*

1. yo / a la Facultad de Medicina

2. tú / a tu casa

3. usted / a la biblioteca

4. ella / al laboratorio de lenguas

5. nosotras / a la Facultad de Filosofía y Letras

6. ellos / al centro estudiantil

3-53 ¿A dónde van? Answer the questions that you hear affirmatively. Then listen and repeat as the speaker gives the correct answer.

1. Sí, _____.

2. Sí, _____.

3. Sí, _____.

4. Sí, _____.

5. Sí, _____.

6. Sí, _____.

7. Sí, _____.

3-54 ¿Qué vamos a hacer? Say what the following people are going to do. Then listen and repeat as the speaker gives the correct answer.

1. Ustedes _____ a trabajar esta noche.

2. Tú _____ a tomar un café.

3. Eduardo y Fabián _____ a practicar béisbol.

4. Magdalena y yo _____ a preparar una ensalada.

5. Yo _____ a vivir en un apartamento.

6. David _____ a estar en la biblioteca.

7. Yo _____ a comer en la cafetería.

5. The present tense of *estar* (to be) and the present progressive

3-55 ¿Dónde están? Tell where the following people and places are, using the cues provided. Then listen and repeat as the speaker gives the correct answer.

1. mis amigos y yo / cerca de la biblioteca

2. tú / enfrente de la cafetería

3. la Facultad de Medicina / detrás de la biblioteca

4. yo / en el centro estudiantil

5. la Facultad de Arte y la Facultad de Ciencias / lejos

3-56 ¿Cómo estás? Answer the questions you hear, using the appropriate form of the word or phrase provided. Then listen and repeat as the speaker gives the correct answer.

1. aburrido

2. enfermo

3. cansado

4. ocupado

5. muy enfadado

3-57 ¿Qué estás haciendo? Look at the following pictures and write, and then say, what the people are doing, using the cues provided. Then listen and repeat as the speaker gives the correct answer.

1. tú (dormir)

_____

4. Pedro (comer)

_____

7. tú (leer)

_____

2. nosotros (hablar)

_____

5. Teresa (escribir)

_____

8. Carlota y Lupe (cantar)

_____

3. yo (pedir)

_____

6. nosotros (correr)

_____

3-58 ¿Qué están haciendo? Tell what the following people are doing, using the cues provided. Then listen and repeat as the speaker gives the correct answer.

1. tú / les /escribir / tu nombre, ¿no?

2. Ana Florencia / leer / el mapa

3. nosotros / discutir / una novela

4. ustedes / repetir / el vocabulario

5. yo / hablar / con el profesor

6. Ana y Cecilia / pedir / un video en el laboratorio de lenguas

6. Summary of uses of *ser* and *estar*

3-59 ¿Ser o no ser? Make complete sentences using the appropriate form of **ser** or **estar** and the cues provided. Then listen and repeat as the speaker gives the correct answer.

MODELO: You see: mis padres / de España
                You say: *Mis padres son de España.*

1. el padre de Armando / mexicano

2. el primer día de primavera / el 20 de marzo

3. Marcos / hablando por teléfono y Fernando / leyendo un libro

4. la biblioteca / allí, detrás de la Facultad de Medicina

5. mi padre / bajo y gordito y mi madre / baja pero delgada

6. el concierto / en el Teatro Cervantes

3-60 Descripciones. Complete each description with the correct form of **ser** or **estar** and the appropriate adjective. Then listen and repeat as the speaker gives the correct answer.

MODELO: You see: Los profesores (to be sick)
              You write and say: *Los profesores están enfermos.*

1. Jaime y María (to be bad) _____.

2. José (to be ugly) _____.

3. Josefina (to look pretty) _____ esta noche.

4. Tus amigos (to be clever) _____.

5. Mis padres (to be ready) _____.

6. Tu profesora (to be funny) _____.

¿Cuánto sabes tú?

3-61 ¿Qué hacemos? Tell what you and your friends are doing, using the words provided. Then listen and repeat as the speaker gives the correct answer.

1. yo / ir / a la Facultad de Medicina

2. luego Susana y yo / ir / a la cafetería

3. Pablo / aprender / mucho / en la clase de historia

4. hoy / él y Pedro / ir / a casa a estudiar

5. tú / ir / a la biblioteca, ¿verdad?

6. perdón / ¿ustedes / comer / en casa?

7. yo / estar / aburrido / de la comida / de la cafetería

8. Inés / trabajar / estudiar / leer / en la biblioteca

3-62 Preguntas personales. Listen to the questions you hear. Then write, as well as say, your answers. Answers will vary.

1. _____

2. _____

3. _____

4. _____

5. _____

6. _____

4 ¿Cómo es tu familia?

Workbook

PRIMERA PARTE

¡Así es la vida!

4-1 ¿Recuerdas? Answer the following questions in Spanish. Choose the correct option, according to the e-mail in **¡Así es la vida!** on page 116 of your textbook.

1. ¿De quién recibe un correo electrónico Juan Antonio?

   a. su padre   b. su hermano   c. su amiga Ana María   d. su prima Ana María

2. ¿De dónde es Juan Antonio?

   a. Guatemala   b. Honduras   c. Puerto Rico   d. Costa Rica

3. ¿Con quién está Ana María ahora?

   a. sus amigos   b. su familia   c. sus compañeros de clase   d. sus profesores

4. ¿Qué es el padre de Ana María?

   a. abogado   b. profesor   c. dentista   d. ingeniero

5. ¿Cuántos hermanos tiene Ana María?

   a. tres   b. cuatro   c. dos   d. uno

6. ¿Cuántos años tiene el hermano menor?

   a. veintidós   b. diecinueve   c. quince   d. nueve

7. ¿Quiénes son Gustavo y Elena?

   a. los padres de Ana María   c. los abuelos de Ana María

   b. los tíos de Ana María   d. los hermanos de Ana María

Nombre: _____ Fecha: _____

8. ¿Quién es Pablo?

    a. el hijo de Ana María   c. el primo de Ana María

    b. el hermano de Ana María   d. el abuelo de Ana María

9. ¿Cómo es él?

    a. pequeño   b. gracioso   c. tranquilo   d. simpático

10. ¿A dónde va la familia de Ana en julio?

    a. Tikal   b. Costa Rica   c. Guatemala   d. la universidad

¡Así lo decimos! Vocabulario

4-2 Tu familia. Describe your family relationships by completing each sentence with a vocabulary word from **¡Así lo decimos!** on page 117 of your textbook.

1. El padre de mi padre es mi _____.

2. La hermana de mi madre es mi _____.

3. El esposo de mi hermana es mi _____.

4. Los hijos de mi hermana son mis _____.

5. La madre de mi esposo es mi _____.

6. Las hijas de mi tío son mis _____.

7. La esposa de mi hijo es mi _____.

8. El hijo de mis padres es mi _____.

9. Los padres de mi madre son mis _____.

10. El esposo de mi hija es mi _____.

Nombre: _____   Fecha: _____

4-3 Preguntas personales. Your roommate wants to know more about your family. Answer your roomate's questions in Spanish.

1. ¿De dónde son tus abuelos?

   _____

2. ¿Viven tus abuelos cerca o lejos de tu casa?

   _____

3. ¿Tienes hermanos o hermanas? ¿Son mayores o menores?

   _____

4. ¿Tienes muchos primos?

   _____

5. ¿Cómo son ellos?

   _____

6. ¿Cuántas tías tienes?

   _____

7. ¿Quién es el miembro favorito de tu familia?

   _____

¡Así lo hacemos! Estructuras

1. The present tense of stem-changing verbs: *e → ie, e → i, o → ue*

4-4 ¡A escoger! Explain what's going on at your home by choosing one of the verbs from the word bank and logically completing the sentences.

dormir   jugar   preferir hablar   querer   servir   soñar

1. Nosotros _____ la comida.

2. Nuestros abuelos _____ con ser jóvenes.

3. Mis tías _____ sobre (*about*) sus familias con sus cuñadas.

4. Mi prima _____ ir a una discoteca.

5. Yo _____ hasta (*until*) las once de la mañana.

6. Mi hermana y su novio _____ a fútbol con nuestros primos en el jardín.

4-5 Nuestra familia. Fill in the blanks with the correct form of the verbs in parentheses.

1. Cuando yo (almorzar) _____ en la cafetería, yo (pedir)

   _____ una hamburguesa y un refresco.

2. Mi hermana (poder) _____ jugar bien al tenis, pero mi hermano no

   (jugar) _____ bien.

3. Mi tío siempre (dormir) _____ una siesta por la tarde, pero mi tía no

   (entender) _____ por qué.

4. Mis primas (servir) _____ bocadillos cuando mis abuelos (venir)

   _____ a casa.

5. Yo (poder) _____ perder la paciencia cuando (pensar) _____

   en mis problemas.

4-6 Tu familia. Answer these questions about your family with complete sentences in Spanish.

1. ¿Tienes muchos hermanos?

   _____

2. ¿Vienen ellos a la universidad?

   _____

3. ¿Riñes (*quarrel*) mucho con ellos?

   _____

4. ¿Piensas visitar a tu familia pronto? ¿Cuándo?

   _____

5. ¿Entienden tus padres español?

   _____

6. Generalmente, ¿donde almuerzan tus padres?

   _____

7. ¿Con qué sueñan ellos?

   _____

8. ¿Qué prefieres hacer con tu familia, tener una fiesta o conversar?

   _____

4-7 Un día en la vida de Tomás. What does Tomás do on a typical day? Complete the description with the correct form of each verb in parentheses.

Todos los días, Tomás (1. tener) _____ que asistir a tres clases. La primera clase

(2. empezar) _____ a las ocho de la mañana y, a esa hora, Tomás está cansado.

Cuando (3. poder) _____, (4. preferir) _____ dormir y

(5. dormir) _____ hasta muy tarde. A las once y media,

(6. almorzar) _____. Casi siempre (7. pedir) _____ una

hamburguesa en el centro estudiantil. Según Tomás, el centro (8. servir) _____

las mejores hamburguesas del mundo. A las dos, (9. volver) _____ a su residencia y (10. empezar) _____ a estudiar. (11. Querer) _____

salir, pero estudiar es muy importante. A las cuatro, (12. jugar) _____ baloncesto

con unos amigos. Él (13. pensar) _____ que juega bien, pero sus amigos

no. Después, cena en la cafetería porque

(14. pensar) _____ que la comida es bastante buena ahí. Finalmente, a las ocho,

termina su día.

2. Direct objects, the personal *a*, and direct object pronouns

4-8 El fin de semana. Complete the following descriptions of weekend plans with the personal **a,** when needed.

1. Esteban va a ver _____ Jorge y _____ Gustavo.

2. Llevo _____ mis hermanos a dar un paseo.

3. Vemos _____ la película en el cine.

4. Invito _____ Daniel a pasear por el centro.

5. Edmundo tiene _____ amigos peruanos y va a visitarlos.

6. Marta y tú llevan _____ los refrescos a una fiesta.

7. Ana compra _____ las entradas para asistir a un partido.

8. Vamos a invitar _____ nuestros tíos a ir a la playa.

9. Eduardo y Mario llaman por teléfono _____ sus amigos.

10. Mi mamá va a visitar _____ un museo.

4-9 ¡A completar! Complete each sentence with the direct object pronoun that corresponds to the subject in italics.

MODELO: *Nosotros* debemos esperar aquí, porque tu madre *nos* busca.

1. *Yo* no puedo ir al centro, porque mis padres _____ necesitan.

2. *Tú* llamas a María, pero ella no _____ llama.

3. *Marta y Gisela* viven lejos, pero yo siempre _____ visito.

4. *Yo* hablo con mi hermano, pero él no _____ escucha.

5. *Carlos y Adrián* miran a las chicas correr por el parque, pero ellas no _____ ven.

6. *Ella* te quiere mucho, pero tú no _____ quieres.

7. *Ana y Carmen* buscan a Marisa para conversar en un café, pero ella no _____ busca.

8. *Él* quiere a su novia, pero ella no _____ quiere a él.

4-10 Rolando redundante. Rolando tends to be redundant, repeating unnecessary information. Rephrase each of his second sentences, using a direct object pronoun.

1. Yo tengo tres primos. Yo llamo a mis primos todos los días.

   Yo _____ llamo todos los días.

2. Tus abuelos son divertidos. Mi tía visita a tus abuelos mucho.

   Mi tía _____ visita mucho.

3. Bebemos muchos refrescos en casa. Mi madrastra compra refrescos.

   Mi madrastra _____ compra.

4. Los padres de mi padrastro viven cerca. Mi padrastro invita a sus padres a comer en casa todos los viernes.

   Mi padrastro _____ invita a comer en casa todos los viernes.

5. Tu coche es muy grande. Tu cuñado necesita tu coche esta semana.

   Tu cuñado _____ necesita esta semana.

6. Creo que éstos son el libro y la novela de sus sobrinos. Sus sobrinos buscan su libro y su novela.

   Sus sobrinos _____ buscan.

7. Tu mapa tiene mucha información. Nuestra sobrina mira tu mapa.

   Nuestra sobrina _____ mira.

8. Necesitan una hamburguesa y dos sándwiches para el almuerzo. Su madrina prepara una hamburguesa y dos sándwiches.

   Su madrina _____ prepara.

9. Hay dos cámaras en la mesa. El esposo busca dos cámaras.

   El esposo _____ busca.

10. Las nueras llegan mañana. Sus suegros invitan a sus nueras a la fiesta.

   Sus suegros _____ invitan a la fiesta.

4-11 El vecino (*neighbor*). Your neighbor is a busybody and wants to know what everyone in your family is doing. Answer each question by using the progressive form of the verb and the pronoun of the direct object.

MODELO: ¿Prepara tu hermana el sándwich?
   Sí, mi hermana está preparándolo.

1. ¿Miran la televisión tus padres?

   _____

2. ¿Lee la novela tu hermana?

   _____

3. ¿Beben refrescos tus hermanos?

   _____

4. ¿Come el sándwich tu abuelo?

   _____

5. ¿Escribe la carta tu prima?

   _____

6. ¿Toca la guitarra tu tío?

   _____

7. ¿Sirve los refrescos tu abuela?

   _____

8. ¿Escuchan música tus hermanas?

   _____

3. The present tense of *poner, salir,* and *traer*

4-12 Varias situaciones. What do people do on different occasions? Fill in the blanks with the correct form of the indicated verb.

poner

1. Ana y Pepe siempre _____ los libros en la mochila. Yo _____

   los libros en una bolsa grande. Y tú, ¿dónde _____ los libros? Mi amigo Raúl

   no _____ los libros en una mochila. ¡Los tiene en el coche!

salir

2. Sandra _____ con Teodoro. Ellos _____ a nadar todas las

   tardes y por la noche, _____ a comer en un restaurante. Mi vida es más

   difícil. Yo _____ de la casa a las ocho de la mañana y _____

   del trabajo a las cinco. Mis amigos y yo sólo _____ a cenar a restaurantes los

   viernes, porque son muy caros. Los sábados, _____ para las montañas para

   pasar el fin de semana.

traer

3. ¿Qué _____ tú a la clase? Yo _____ el libro y Teresa

   _____ el cuaderno de actividades. Quique y Eduardo _____

   el diccionario.

4-13 Los planes. These friends have plans for the weekend. Fill in the blanks with the correct form (conjugated or infinitive) of the most logical verb: **poner, salir,** or **traer.**

Federico y Timoteo (1) _____ hoy para la playa. Timoteo

(2) _____ los sándwiches. Federico (3) _____ los refrescos.

Federico (4) _____ todas las cosas en su coche. Piensan

(5) _____ a las tres de la tarde. A las dos y media Timoteo llama a Federico.

Timoteo: ¡Hola, Federico! ¿A qué hora (6) _____ (nosotros)?

Federico: En treinta minutos. Yo (7) _____ mis cosas en el coche ahora.

Timoteo: Fede, no es posible (8) _____ a las tres. Necesito ver a mi mamá

   antes de (9) _____ .

Federico: ¿A qué hora tienes que ver a tu mamá?

Timoteo: A las tres y cuarto. (10) _____ (Yo) de mi casa ahora.

Federico: Chico, no hay problema. Tú y yo (11) _____ a las cuatro.

Segunda parte

¡Así es la vida!

4-14 Una invitación. Complete the sentences, according to the dialog in **¡Así es la vida!** on page 133 of your textbook.

1. Raúl llama a Laura para ver si...

   a. está bien   b. quiere ir al cine   c. quiere ir a cenar

2. El cine se llama...

   a. *Abre los ojos*   b. Rialto   c. *Vanilla Sky*

3. En el cine están presentando...

   a. *Abre los ojos*   b. Rialto   c. *Vanilla Sky*

4. Laura le pregunta a Raúl...

   a. quiénes son los actores   b. cuánto cuesta el cine   c. a qué hora es la película

5. La película comienza...

   a. a las siete   b. a las seis y media   c. esta noche

6. Raúl pasa por Laura...

   a. a las siete   b. a las seis y media   c. esta noche

¡Así lo decimos! Vocabulario

4-15 Más invitaciones. Laura and Raúl had a wonderful time at the movies and have decided to see each other again. Using the dialog in **¡Así es la vida!** on page 133 of your textbook as a model, write a brief conversation to suit the following situation.

Laura calls Raúl and invites him to go dancing at the new club La Bamba. He says he would love to and asks Laura what time she's coming by for him. She answers at 8:15, and then they say good-bye.

_____

_____

_____

_____

4-16 Unas preguntas. Match each question with a response from the list.

1. _____ ¿Puedes ir al cine esta noche?   a. Sí, me encantaría.

2. _____ ¿A qué hora pasas por mí?   b. En casa, mi vida.

3. _____ ¡Qué bonita estás!   c. A las seis.

4. _____ ¿Vamos al concierto esta noche?   d. Muchas gracias.

5. _____ ¿Cómo estás, cariño?   e. Muy bien, mi cielo.

6. _____ ¿Donde estás, mi amor?   f. Sí, claro.

¡Así lo hacemos! Estructuras

4. Demonstrative adjectives and pronouns

4-17 De compras. You are shopping at a store. Indicate your preferences by completing each of the following statements with the correct demonstrative adjective.

1. Quiero (these) _____ camisas.

2. Prefiero (those) _____ camisas.

3. No me gustan (those over there) _____ suéteres.

4. Voy a comprar (that) _____ suéter.

5. Deseo probarme (these) _____ zapatos.

4-18 ¿Qué prefieres? At the university store, a clerk asks you which of the following items you would like to buy. Reply, following the model, and make changes when necessary.

MODELO: camisa (este/ése)
              Prefiero estas camisas, no ésas.

1. cuaderno (este/ése)

   Prefiero _____ cuadernos, no _____ .

2. mochila (ese/aquél)

   Prefiero _____ mochilas, no _____ .

3. suéter (ese/aquél)

   Prefiero _____ suéter, no _____ .

4. diccionario (este/ése)

   Prefiero _____ diccionario, no _____ .

5. calculadora (ese/aquél)

   Prefiero _____ calculadora, no _____ .

6. lápiz (ese/aquél)

   Prefiero _____ lápiz, no _____ .

4-19 En la fiesta. Your family is attending a party at your friend's house. He approaches you and wants to know who, among the crowd, each member of your family is. Fill in the blanks with the appropriate demonstrative adjective or pronoun.

Amigo: Hola. Veo que toda tu familia está aquí.

Usted: Sí, gracias por invitarnos.

Amigo: ¿Quiénes son tus padres?

Usted: Mi padre es (1) _____ señor alto y calvo (*bald*) que está allá (*over there*) lejos hablando con tu padre.

Amigo: ¿Es tu madre (2) _____ señora que está aquí?

Usted: No, (3) _____ es mi tía. Mi madre es (4) _____ señora que está cerca de mi padre.

Amigo: ¿Están tus hermanos en la fiesta?

Usted: ¡Por supuesto! Mi hermano es (5) _____ chico de allí, (6) _____ que está cerca de la puerta.

Amigo: ¿Y tus hermanas?

Usted: Son (7) _____ chicas con las que estoy hablando. Te las presento. (8) _____ es Ángela y (9) _____ es Carmen.

Amigo: Encantado. Mucho gusto en conocerlas.

Usted: Muchas gracias por invitarnos. ¡(10) _____ fiesta es maravillosa!

5. *Saber* and *conocer*

4-20 Unas preguntas. Imagine that you and your friend are discussing your common acquaintances. Complete the questions with the correct forms of the verbs **saber** and **conocer**. Then answer the questions.

1. ¿_____ (tú) bien a mis primas?

_____

2. ¿_____ (tú) dónde viven exactamente?

_____

3. ¿_____ (tú) también a mis tíos?

_____

4. ¿_____ mi tía que tú eres mi amigo/a?

_____

5. ¿_____ (ellas) cuándo es la reunión de toda la familia?

_____

4-21 Más información. Your friend wants to know more about your cousins. Complete each question with the correct form of the verbs **saber** or **conocer.**

1. ¿_____ ellas jugar al vólibol?

2. ¿_____ ellas a toda tu familia también?

3. ¿_____ bailar bien Marcela?

4. ¿_____ (ellas) a tus padres también?

5. ¿_____ (tú) si ellos visitan a sus padres en diciembre?

6. ¿_____ (ellas) que yo estudio español?

7. ¿_____ Anita que tú vives en la residencia estudiantil?

8. ¿_____ (tú) al novio de Anita?

9. ¿_____ Carmen hablar francés?

10. ¿_____ (tú) a mis tíos?

4-22 Una conversación. Complete the following conversation that two friends are having about a new student with the correct form of the verbs **saber** or **conocer**.

Juan: ¿(1) _____ al estudiante nuevo? ¿(2) _____ cómo se llama?

Pablo: No (3) _____ cómo se llama, pero (4) _____ que su apodo es Macho Camacho.

Juan: ¿(5) _____ si Macho habla español?

Pablo: Sí, (6) _____ que habla español.

Juan: ¿(7) _____ dónde vive?

Pablo: Yo no (8) _____ dónde vive, pero mi hermano Paco

(9) _____ que vive cerca de la universidad.

Juan: Y ¿Paco (10) _____ a Macho?

Pablo: Sí, Paco (11) _____ a Macho y también (12) _____ a su novia. Yo no (13) _____ a la novia de Macho, pero

(14) _____ que se llama Remedios.

Juan: ¿(15) _____ tú a Remedios?

Pablo: No, yo no (16) _____ a Remedios.

Juan: Bueno, hasta luego. Tengo que estudiar.

Pablo: Adiós.

NUESTRO MUNDO

Panoramas

4-23 ¡A informarse! Based on the information from **Nuestro mundo** on pages 144–145 of your textbook, decide if the following statements are **cierto (C)** or **falso (F)**.

1. Hay muchas montañas y selvas en Centroamérica.

2. Los gobiernos centroamericanos no hacen nada para hacer llegar los avances de la medicina al pueblo.

3. La paz llegó (*arrived*) a El Salvador en 1992.

4. El Izalco es un volcán en El Salvador.

5. En El Salvador, no es posible hacer ecoturismo.

6. Tikal es una ciudad de ruinas aztecas.

7. Los mayas ya (*already*) utilizaban canales para el agua de la lluvia.

8. Los tejidos (*woven goods*) tradicionales indígenas no son populares entre los turistas.

9. La economía centroamericana se basa (*is based*) en la industria.

10. El café es un producto muy importante para la economía de Centroamérica.

4-24 Tu propia experiencia. Make a list of the common characteristics among the countries in Central America. Then, choose two, and describe what you know about them in Spanish.

_____

_____

_____

_____

_____

Taller

4-25 La familia

Primera fase. Write at least eight questions in Spanish that you can use to find out about someone's family.

MODELO: ¿Estás casado/a?
           ¿Cuántos hijos/hermanos tienes?

_____

_____

_____

_____

_____

_____

_____

_____

Segunda fase. Interview a Spanish-speaking student, professor, or other community member about his/her family. Use the questions you wrote in the **Primera fase** and jot down the information you learn.

MODELO: Tú: *¿Estás casado?*
Entrevistado/a: *Sí, estoy casado y tengo hijos.*
Tú: *¿Cuántos hijos tienes?*

_____

_____

_____

_____

_____

_____

Tercera fase. Use the information from the **Segunda fase** to write a brief paragraph about the family of the person you interviewed.

MODELO: *Eduardo tiene una familia muy interesante y grande...*

_____

_____

_____

_____

_____

_____

4-26 Rigoberta Menchú. Select and research one of the following topics related to Rigoberta Menchú. Use the Internet or library resources, and prepare a brief presentation in English or Spanish to present to the class. The presentation can be artwork (a poster with images and captions), a report, a summary, and so forth.

• Rigoberta Menchú and her family have strong ties, some of which were formed through very difficult and sad years. Find out more about Rigoberta's childhood family, the problems they faced, and how they influenced her life and her current family.

- Rigoberta Menchú is almost always found wearing traditional woven goods from Guatemala. Find out more about this tradition, the dyeing and weaving processes, and the people who continue the tradition.

- Rigoberta Menchú worked with a writer to produce a very important book about the plight of many indigenous Guatemalans. Find out more about the book, how it was produced, the information and messages presented, and so forth.

4-27 Más allá de las páginas. Using the Internet, look up an organization, magazine, or community effort based on protecting the rights of women in Latin America. What do you think the current social status of women in Latin America is? Based on your investigation, do you think there is any social change taking place? Explain your answer.

_____

_____

_____

_____

_____

¿Cuánto sabes tú?

4-28 ¿Sabes usar los verbos irregulares? Complete the following sentences with the appropriate form of the verbs in parentheses.

1. Mi madre me (querer) _____ mucho.

2. Yo no (entender) _____ las matemáticas.

3. Nosotros (pensar) _____ estudiar ingeniería.

4. Mis tíos (preferir) _____ pasar las fiestas en su casa.

5. Normalmente, yo (volver) _____ tarde de la escuela.

6. ¿(Poder) _____ ir (tú) al cine con nosotros?

4-29 ¿Sabes usar pronombres de objeto directo? Match the following sentences with the appropriate direct object pronoun.

1. Quiero mucho a mis abuelos y _____ visito todas las semanas.

    a. me

2. Mi hermana ayuda mucho a mi madre; _____ quiere mucho.

    b. la

3. Mi primo me pide ayuda y yo _____ ayudo.

    c. los

4. Yo pido ayuda a mi primo y él _____ ayuda.

    d. nos

5. Mis abuelos viven cerca de nuestra casa; _____ visitan frecuentemente.

    e. lo

4-30 ¿Sabes usar los verbos *poner, salir* y *traer*? Fill in the blanks with the appropriate form of the verbs **poner, salir,** or **traer.**

1. Los estudiantes siempre _____ sus libros a clase.

2. Yo nunca _____ de casa sin mis libros.

3. Mis padres siempre _____ a cenar los viernes por la noche.

4. Yo siempre _____ los libros encima de la mesa.

5. Mis amigos y yo _____ la comida a la fiesta.

6. Mi abuelo _____ azúcar en el café.

4-31 ¿Sabes usar los adjetivos y pronombres demostrativos? Complete each sentence with the most appropriate demonstrative adjective or pronoun.

1. Esta casa es de mis abuelos, pero _____ es de mis tíos.

    a. este   b. aquella   c. aquélla   d. esos

2. Mi primo es _____ chico que está aquí.

    a. aquel   b. este   c. aquél   d. éste

3. Mi hermana no quiere esta silla, sino que quiere _____ que está allí.

    a. ésa   b. ese   c. esa   d. ése

4. Mis padres trabajan en _____ edificio (*building*) allá lejos.

    a. esta   b. ésta   c. aquellos   d. aquel

5. _____ chico es mi amigo Ramón.

    a. Estos   b. Este   c. Esos   d. Aquellas

6. ¿Qué es _____ que tienes en la mano?

    a. estos   b. este   c. éste   d. eso

4-32 ¿Sabes la diferencia entre *saber* y *conocer*? Fill in the blanks with the appropriate form of the verbs **saber** or **conocer**.

1. Yo no _____ Nueva York. Me gustaría visitarla algún día.

2. Mi madre _____ cocinar muy bien.

3. Todos _____ quién es Antonio Banderas.

4. Mis padres _____ a todos mis amigos.

5. Los estudiantes de español _____ la diferencia entre *saber* y *conocer*.

Lab Manual

PRIMERA PARTE

¡Así es la vida!

4-33 La familia de Éster. Listen to the following description. Then select all the letters corresponding to the statements that are correct, according to what you heard. Listen as many times as necessary to find all the correct statements.

1. ... de Éster celebran el aniversario.

   a. Los tíos

   b. Los padres

   c. Los abuelos

2. La familia de Éster...

   a. es unida.

   b. vive en México.

   c. es importante para ella.

3. Federico es...

   a. el esposo de Catalina.

   b. el padre de Éster.

   c. el primo de Samuel.

4. Samuel...

   a. es gracioso.

   b. está casado.

   c. está ahora en Puebla.

5. Griselda es...

   a. la hermana de Samuel.

   b. la hija de Catalina.

   c. la cuñada de Federico.

6. El hijo de Catalina...

   a. es menor que Éster.

   b. tiene primos en la capital.

   c. se llama Héctor.

7. ... de Juana viven en Puebla.

   a. El abuelo

   b. El tío

   c. El hermano

8. Éster visita a sus... en la capital.

   a. tíos

   b. primos

   c. abuelos

¡Así lo decimos! Vocabulario

4-34 El árbol genealógico. Look at the following family tree and answer the questions you hear logically, using expressions and vocabulary from **¡Así lo decimos!** on page 117 of your textbook. Then listen and repeat as the speaker gives the correct answer.

1. ...   5. ...

2. ...   6. ...

3. ...   7. ...

4. ...   8. ...

Pronunciación

Sounds of *d* and *t*

1. The Spanish **d** has two distinct sounds: dental and interdental. At the beginning of a breath group or after the letters **l** or **n,** the **d** is dental. Pronounce it with the tip of the tongue pressed against the back of the upper front teeth. In all other cases, the **d** is interdental. Place the tip of the tongue between the upper and lower teeth, like the weak English *th* in *that.* Note the following examples.

Dental:	**dar**	**andar**	**caldera**	**Daniel**	**falda**	**senda**
Interdental:	**modo**	**cada**	**verdad**	**edad**	**unida**	**cada**

2. The Spanish **t** is pronounced by pressing the tip of the tongue against the upper front teeth rather than against the ridge above the teeth, as in English. The Spanish **t** is also pronounced without the puff of air that normally follows the English *t.* Note the following examples.

torre	**meta**	**tú**
Tomás	**puerta**	**otoño**
tanto	**octubre**	**taco**

4-35 Pronunciemos. You will hear a series of Spanish words that begin with the letter **d** or that have a **d** at the beginning of a breath group. Repeat each word after the speaker.

1. diaria

2. después

3. dónde

4. desgracia

5. dentro

6. aldea

7. andando

8. día

9. grande

10. dormir

4-36 Pronunciemos más. Now you will hear a series of Spanish words and phrases that contain the interdental **d.** Repeat the word or phrase after the speaker.

1. vida

2. sábado

3. estudiantil

4. ideal

5. nadar

6. idea

7. residencia de estudiantes

8. con usted

9. buenos días

10. tarde

4-37 Y pronunciemos más. Now you will hear a series of Spanish words that begin with the **t** sound. Repeat each word after the speaker.

1. Tomás

2. tienes

3. traer

4. Tejas

5. también

6. taco

7. tomamos

8. todos

9. té

10. trópico

¡Así lo hacemos! Estructuras

1. The present tense of stem-changing verbs: *e* → *ie*, *e* → *i*, *o* → *ue*

4-38 ¿Qué piensas tú? Read each item, filling in the blanks with the correct form of the verbs in parentheses. Then listen and repeat as the speaker gives the correct answer.

1. Yo (preferir) _____ las películas cómicas, pero Juan (preferir)

   _____ las de misterio.

2. Tú (almorzar) _____ todos los días con la familia, pero nosotros

   (almorzar) _____ con nuestros amigos.

3. Nosotros (pensar) _____ ir a la playa este fin de semana, pero ¿qué

   (pensar) _____ hacer tú?

4. ¿Cuántas horas (dormir) _____ tu hermana? Yo, en general, (dormir)

   _____ ocho horas.

5. ¿Tú (venir) _____ con Rodrigo a clase? Sí, yo (venir)

   _____ con él.

6. Nosotros (venir) _____ por ti a las ocho. (Preferir)

   _____ llegar al cine temprano.

4-39 Cosas de la vida. Form complete sentences, using the cues provided. Then listen and repeat as the speaker gives the correct answer.

1. mi / prima / soñar / con / visitar / Guatemala

2. nosotros / jugar al / tenis

3. tú / siempre / pedir / agua con limón

4. tu / yernos / no encontrar / nombre / mi tía

5. yo / poder / servir el almuerzo

6. mi / abuelo / no / venir / tarde / librería

7. su / cuñados / volver / temprano / gimnasio

8. la casa / prima / costar / mucho dinero.

4-40 ¡El preguntón! Answer each of the questions your hear in complete sentences. Then listen and repeat as the speaker gives the correct answer.

1. No, _____.

2. Sí, _____.

3. No, _____.

4. Sí, _____.

5. No, _____.

6. Sí, _____.

4-41 "No, pero..." Answer each question you hear negatively. Then using the following cues provided, give additional information in complete sentences. Follow the model. Finally, listen and repeat as the speaker gives the correct answer.

MODELO: You hear: ¿Quieres ir al cine?
You see: mis primos
You say: *No, no quiero ir al cine. Mis primos quieren ir al cine.*

1. tarde

2. jugar al básquetbol

3. mañana

4. yo

5. tú

6. mi sobrina

4-42 Preguntas personales. Answer the questions you hear based on your personal experience. Compare your responses with the sample answers in the Answer Key.

1. _____

2. _____

3. _____

4. _____

5. _____

6. _____

2. Direct objects, the personal *a*, and direct object pronouns

4-43 ¿Cuál es el complemento? Listen to the following sentences and write down the direct object in the space provided. Then listen and repeat as the speaker gives the correct answer.

1. _____

2. _____

3. _____

4. _____

5. _____

4-44 *A personal.* Complete the sentences with the personal **a,** when necessary. Then listen and repeat as the speaker gives the correct answer.

1. Llaman _____ su abuelo.

2. Llaman _____ un taxi.

3. Ven _____ el accidente.

4. Veo _____ José.

5. Invito _____ Laura, _____ Miguel y _____ Raúl a la fiesta.

6. Quiero _____ un amigo gracioso.

7. Quiero mucho _____ mis padres.

8. ¿_____ Q(q)uién visitas frecuentemente?

9. ¿_____ Q(q)uién te visita frecuentemente?

4-45 ¿Quién hace qué? Answer the following questions, replacing the direct objects with the appropriate pronouns. Then listen and repeat as the speaker gives the correct answer.

MODELO: You hear: ¿Quién llama a Susana?
              You see: yo
              You say: *Yo la llamo.*

1. nosotros   5. Rodrigo y yo

2. ustedes   6. tú

3. yo   7. yo

4. ella   8. mi prima

4-46 "No, pero..." Answer the following questions negatively, giving additional information with the cues provided. Then listen and repeat as the speaker gives the correct answer.

MODELO: You hear: ¿Ves a los García allí?
              You see: los González
              You say: *No, no los veo; veo a los González.*

1. profesora López   4. los sándwiches

2. mochila   5. mis nietas

3. Cristina   6. Susana

4-47 ¿Quién hace qué? Answer the questions you hear using direct object pronouns. Then listen and repeat as the speaker gives the correct answer.

MODELO: You hear: ¿Quién va a comprar los refrescos?
You see: yo
You say: *Yo voy a comprarlos.*

1. nosotros

2. yo

3. tú

4. Santiago

5. Olivia y Juan

4-48 Al centro. Listen to the conversation and answer the following questions, using direct object pronouns whenever possible. Then listen and repeat as the speaker gives the correct answer. Listen to the conversation as many times as necessary.

1. ¿Quiénes van al centro?

2. ¿Quién visita a los amigos?

3. ¿Quiénes miran la película?

4. ¿Quién compra las entradas?

3. The present tense of *poner, salir,* and *traer*

4-49 Planes para la noche. Fill in the blanks with the correct form of the verbs in parentheses. Then listen and repeat as the speaker gives the correct answer.

1. Yo (poner) _____ los nombres de nuestros amigos al lado de cada plato.

2. Buena idea. Tú (traer) _____ pollo y papas fritas de la cafetería, y yo (traer)

   _____ los otros ingredientes.

3. ¡Fantástico! Ustedes (traer) _____ la comida, y yo (traer)

   _____ los refrescos. Yo los (poner) _____ en el refrigerador.

4. ¿Qué te parece si ella (salir) _____ de casa ahora?

5. Buena idea. ¿Por qué no (salir) _____ tú?

6. Está bien, yo (salir) _____ y (traer) _____ la comida.

4-50 Preferencias. Answer each question with a complete sentence, using the cues provided. Then listen and repeat as the speaker gives the correct answer.

MODELO: You hear: ¿Qué hacemos esta noche?
   You see: las tareas domésticas
   You say: *Hacemos las tareas domésticas esta noche.*

1. una película en DVD

2. yo / la mochila y tú / los refrescos

3. muchos ingredientes

4. yo / a las ocho y media, pero mi hermano a las nueve

5. las / en la mesa

4-51 ¿A qué salen? Complete the sentences with the correct form of the verb **salir** and the appropriate prepositions. Then listen and repeat as the speaker gives the correct answer.

MODELO: Yo *salgo a* (to go out) correr todos los días.

1. ¿Ustedes _____ (to go out with) sus sobrinas?

2. Mis abuelos y yo _____ (to leave on) viaje en el verano.

3. Elvira _____ (to date) Ignacio.

4. Yo _____ (to leave) casa con mi hermana a las nueve y cuarto.

SEGUNDA PARTE

¡Así es la vida!

4-52 ¿Al cine? Listen to the following conversation. Then indicate whether the statements that follow are **cierto (C)** or **falso (F).**

C   F   1. Jorge invita a Ana y a Santiago al cine.

C   F   2. Jorge quiere ver una película del director Almodóvar.

C   F   3. La película empieza a las siete y media.

C   F   4. Santiago va al cine con sus amigos.

C   F   5. Jorge pasa por Ana.

¡Así lo decimos! Vocabulario

4-53 ¿Lógico o ilógico? Complete the dialog that you hear by selecting the letter corresponding to the most logical expression given below. Then listen and repeat as the speaker gives the correct answer.

1. a. Sí, con Jorge, por favor.

   b. Bueno.

   c. Aló.

2. a. Bueno.

   b. Pues, llamo para ver si quieres ir al cine.

   c. Habla Pablo. ¿Quién habla?

3. a. Te llamo para ver si quieres ir a bailar esta noche.

   b. Esta noche, lo siento pero no puedo.

   c. Quiero ir al cine.

4. a. Lo siento, no puedo.

   b. Paso por ti a las diez y media.

   c. Claro, ¿quieres pasear por el centro?

5. a. No, gracias. Estoy ocupado.

   b. Me gusta la orquesta.

   c. Es un café al aire libre.

6. a. De acuerdo. Vamos al teatro el sábado.

   b. Sí, claro. ¡Me encantaría ver el partido!

   c. El parque es muy popular.

7. a. ¡Qué aburrido! Mejor vamos a bailar, mi vida.

   b. Me encantaría, mi cielo.

   c. De acuerdo, ¿qué están presentando?

8. a. ¡Qué divertido! ¿A qué hora es la función?

    b. Gracias, pero no puedo.

    c. ¿Puedes ir al cine?

Pronunciación

Sounds of *j* and *g*

1. The Spanish **j** is pronounced like a forceful English *h* in the word *hat*.

jamón	**Tajo**	**caja**
jugar	**Jaime**	**jarra**

2. The letter **g** has three distinct sounds. Before **e** and **i**, it is pronounced like a forceful English *h* in *hat*. Note these examples.

gitano	**Germán**	**agitar**	**coger**

At the start of a breath group or after **n**, the combinations **ga, go, gu, gue,** and **gui** are pronounced like a weak English *g*, as in *gate*. Note these examples.

guerra	**gol**	**mango**
ganar	**guitarra**	**un gato**

Everywhere else (except for the combinations **ge** and **gi**) the sound is weaker, with the breath continuing to pass between the palate and the back of the tongue. Note these examples.

algo	**agricultura**	**agua**
contigo	**ogro**	**negro**

4-54 Pronunciemos. Each of the following words contains the letter **j.** Repeat each word after the speaker.

1. jota

2. jamón

3. jugadores

4. jardinero

5. Alejandra

6. Luján

7. junio

8. jugar

9. jefe

10. julio

4-55 Pronunciemos más. You will hear a series of Spanish words that contain the combinations **ge** and **gi**. Repeat each word after the speaker.

1. gente
2. gimnasia
3. general
4. genial
5. dirigir

6. gitano
7. geología
8. geografía
9. Jorge
10. girar

4-56 Pronunciemos más. The following words contain the combinations **ga, go, gu, gue,** and **gui.** Repeat each word after the speaker.

1. gota
2. guante
3. gato
4. golf
5. aguantar

6. ganar
7. guerra
8. vengo
9. guía
10. tengo

4-57 Y pronunciemos más. You will hear a series of words and phrases that contain the combinations **ga, go, gu, gue,** and **gui** within a breath group. Repeat each word or phrase after the speaker.

1. me gustan
2. liga
3. algunos
4. mucho gusto
5. jugo

6. ¿Te gusta?
7. yo hago
8. agosto
9. gato
10. llego

¡Así lo hacemos! Estructuras

4. Demonstrative adjectives and pronouns

4-58 Identificaciones. Complete the following sentences with the correct form of the demonstrative adjectives in parentheses. Then listen and repeat as the speaker gives the correct answer.

1. ¡Qué interesantes son _____ partidos de fútbol! (este)

2. ¿Cuánto cuestan _____ refrescos? (ese)

3. Escucho mi música favorita cuando toca _____ orquesta. (aquel)

4. Marcos va a comprar _____ entradas. (ese)

5. _____ biblioteca es grande. (ese)

6. Vengo frecuentemente a _____ cine. (este)

7. Me gusta correr en _____ parque. (aquel)

8. Me gustan _____ películas. (este)

9. Quiero hacer ejercicio en _____ gimnasio. (ese)

10. Siempre hay muchos turistas en _____ cafés al aire libre. (aquel)

11. Vamos a salir _____ noche. (este)

12. No quiero hablar con _____ chicas. (aquel)

4-59 ¿Éste, ése o aquél? Answer the following questions using the cues provided. Then listen and repeat as the speaker gives the correct answer.

MODELO: You hear: ¿Vas a comer en esta cafetería?
You see: aquél
You say: *No, voy a comer en aquélla.*

1. éste

2. aquél

3. ése

4. éste

5. ésos

6. aquéllas

5. *Saber* and *conocer*

4-60 ¿Saber o conocer? Give the Spanish equivalent of the following sentences. Then listen and repeat as the speaker gives the correct answer.

1. I know that they want to go to the movies.

2. You don't know my mother-in-law?

3. My daughter knows (how to speak) French.

4. Does your sister know Barcelona?

5. Does she know where the concert is?

6. I know my boyfriend's family well.

4-61 "Mi familia sabe..." Use the cues provided to form complete sentences, in order to find out what or whom the following people know. Then listen and repeat as the speaker gives the correct answer.

1. mi suegra / hablar ruso

2. nuestros sobrinos / Puerto Rico

3. los niños / dónde viven

4. mis padres / las películas de Almodóvar

5. mi novio / a mis padres

¿Cuánto sabes tú?

4-62 Federico y Elena. Listen to the dialog and answer the following questions with a complete sentence. Listen as many times as necessary to determine all the correct answers.

1. ¿Cómo es Federico?

   _____

2. ¿Quién es trabajador, Federico o Elena?

   _____

3. ¿Cómo está Elena hoy?

   _____

4. ¿Qué tiene Federico hoy?

   _____

5. ¿Cuándo empieza la función?

   _____

6. ¿Qué piensa Elena? ¿Hay tiempo para ir al centro?

   _____

7. ¿Por qué sabe Federico ir al cine?

   _____

8. ¿Conoce Elena a los primos de Federico?

   _____

9. ¿De dónde son los primos de Federico?

_____

10. ¿Qué están haciendo en San Juan?

_____

4-63 Preguntas personales. Write an appropriate response to the following questions or statements. Because answers will vary, compare your answer to the answer that is provided. Then read your response to practice communication and pronunciation.

1. ¿Quieres ir al cine esta noche?

_____

2. ¿A qué hora comienza la película?

_____

3. ¿Cuándo vuelves a la universidad?

_____

4. ¿Visitas a tus tíos frecuentemente?

_____

5. ¿Tienes una familia grande o pequeña?

_____

6. ¿Conoces una persona famosa?

_____

7. ¿Sabes cuántos años tiene tu profesor(a) de español?

_____

8. ¿Estas preguntas son fáciles o difíciles?

_____

5   ¿Cómo pasas el día?

Workbook

PRIMERA PARTE

¡Así es la vida!

5-1 ¿Recuerdas? Reread the conversations in **¡Así es la vida!** on page 154 of your textbook. Then answer the following questions with complete sentences in Spanish.

1. ¿Cuántos hijos tiene la familia Pérez Zamora?

_____

2. ¿Por qué la señora Pérez les pide ayuda a sus hijos?

_____

3. ¿Por qué todos tienen que trabajar?

_____

4. ¿A quién no le gusta limpiar?

_____

5. ¿Qué tiene que hacer Cristina?

_____

6. ¿Qué va a hacer Rosa?

_____

7. ¿Qué va a comprar Rosa en el mercado?

_____

8. ¿Quién va a sacudir el polvo de los muebles?

_____

¡Así lo decimos! Vocabulario

5-2 ¡A completar! Fill in the blanks with the appropriate vocabulary word from the word bank.

basura	cuadro	garaje	libreros	secadora
cama	escoba	lavaplatos	sala	sillón

1. Todos prefieren sentarse en el _____ porque es más cómodo.

2. Hay un _____ de ese pintor en la pared.

3. Mi carro está en el _____.

4. Tengo que poner los platos en el _____. Están sucios.

5. Tú tienes que barrer la _____ hoy.

6. Las novelas están en esos _____.

7. En mi casa, yo saco la _____ los jueves.

8. Hago la _____ todas las mañanas cuando me levanto.

9. La ropa está en la _____. Tienes que doblarla.

10. Barro la terraza con una _____.

5-3 Cómo ordenar tu apartamento. You have moved to a new apartment. Explain what you do to arrange the furniture. Follow the model.

MODELO: *Pongo el sillón contra la pared.*

En la sala

1. _____

2. _____

3. _____

4. _____

5. _____

En el dormitorio

6. _____

7. _____

8. _____

9. _____

En el comedor

10. _____

11. _____

12. _____

13. _____

5-4 ¿Con qué frecuencia haces estos quehaceres? Answer the following questions, using words that indicate time or using expressions from the Study Tips on page 156 of your textbook.

MODELO: ¿Con qué frecuencia cortas (*cut*) la hierba (*grass*)?
Corto la hierba una vez a la semana.

1. ¿Con qué frecuencia limpias tu cuarto?

_____

2. ¿Cuándo haces la cama?

_____

3. ¿Con qué frecuencia lavas la ropa?

_____

4. ¿Con qué frecuencia pasas la aspiradora?

_____

5. ¿Con qué frecuencia sacas la basura?

_____

6. ¿Cuándo barres el pasillo?

_____

5-5 Casas y apartamentos. Read the following advertisement. Then answer the questions by choosing the correct response.

Los Arcos
Cariari
4 dormitorios, 3 baños, garaje, terraza.
Superficie: 1.025 m².
Precio venta: 45.000.980 colones.

Parritta
2 dormitorios, 1 baño, 1 aseo, 2 plantas, piscina, acceso directo a la playa, casa de huéspedes.
Superficie: 820 m².
Precio venta: 39.700.000 colones.

Palo Seco
(cerca de Parritta)
5 dormitorios, 5 baños, alojamiento de criadas, suite principal, 3 plantas, jacuzzi, piscina, garaje, jardines, acceso directo a la playa.
Superficie: 1.575 m².
Precio venta: 144.999.900 colones.

Santo Domingo de Heredia
(15 minutos de San José)
3 dormitorios, 2 baños, chimenea, sobre parcela de 15.000 m² con jardines, frutas, vista del valle.
Superficie: 900 m².
Precio venta: 39.265.000 colones.

Para su información llame al (506) 222-8989

OFERTA INMOBILIARIA • COSTAMAX   OFERTA INMOBILIARIA • COSTAMAX

1. ¿Cuántas plantas (*floors*) tiene la casa que está en Palo Seco?

   a. 5

   b. 3

   c. 1.575

2. ¿Qué tiene la casa?

   a. 5 dormitorios, jacuzzi, garaje

   b. 5 dormitorios, terraza, piscina, jardines

   c. 4 dormitorios, alojamiento de criadas, chimenea, 5 baños

3. ¿Cuál es más grande, la casa que está en Los Arcos, la casa que está en Santo Domingo de Heredia o la casa que está en Parritta?

   a. Los Arcos

   b. Santo Domingo de Heredia

   c. Parritta

4. ¿Cuál es la casa con más baños?

   a. Los Arcos

   b. Parritta

   c. Palo Seco

5. ¿Cuál de las casas tiene garaje?

   a. Los Arcos

   b. Santo Domingo de Heredia

   c. Parritta

6. ¿Cuál es la casa más cara de todas?

   a. Los Arcos

   b. Santo Domingo de Heredia

   c. Parritta

   d. Palo Seco

7. ¿Cuánto cuesta la casa más cara?

   a. 39.265.00 colones

   b. 1.575 m

   c. 144.999.900 colones

   d. 15.000 m

8. ¿Cuánto vale la casa que está en Paritta?

   a. 820

   b. 45.000.980

   c. 39.700.000

¡Así lo hacemos! Estructuras

1. The verbs *decir* and *dar,* indirect objects, and indirect object pronouns

5-6 Hoy. Find out what is happening today by using the present tense of the verb **dar.**

1. El profesor _____ un examen a las nueve.

2. Yo _____ un paseo por el parque.

3. ¿Tú les _____ mucho dinero a tus hijos?

4. Sergio y Virginia _____ una fiesta por la noche.

5. Paco y yo _____ una fiesta por la tarde.

5-7 Los chismosos. Armando and Mario are always spreading rumors. Find out their latest rumor by completing the conversation between Amanda and Juana. Use the present tense of the verb **decir.**

Juana: Oye, Amanda, Mario y Armando (1) _____ que tú eres la novia de Gerardo.

Amanda: ¿Qué (2) _____ tú, Juana?

Juana: Yo solamente (*only*) (3) _____ que Mario y Armando

(4) _____ que tú eres la novia de Gerardo.

Amanda: Y ¿qué (5) _____ ustedes?

Juana: Nosotros (6) _____ que no es verdad, pero Mario

(7) _____ que tú vas a la playa con Gerardo todos los sábados.

Amanda: Pues, yo (8) _____ que él no dice la verdad y que es un mentiroso

(*liar*).

5-8 ¡A completar! Fill in each blank with the appropriate pronoun to match the indirect object.

1. Mi hermana _____ lava la ropa (a mí).

2. Ella _____ plancha la ropa a sus hermanos.

3. Tú _____ pones la mesa a tu tío y a tu primo.

4. Ella _____ habla (a ti).

5. Mis amigos _____ sacan la basura (a ella).

6. Yo _____ preparo la cena a mi novia.

7. Él _____ barre la terraza a mi hermana y a mí.

8. Ustedes _____ hacen la cama a su madrastra.

9. Tú _____ quitas la mesa a tus tíos.

10. Tú y tu hermano _____ sacuden los muebles a su cuñada.

5-9 En la tienda. You are shopping at a store. Explain whom each gift is for, using the appropriate indirect object pronoun.

MODELO: a mi tío / un cubo
            Le doy un cubo a mi tío.

1. a mis primos / una plancha

   _____ doy una plancha a mis primos.

2. a tu mamá / una alfombra

   _____ das una alfombra a tu mamá.

3. a tu papá / una lámpara

   _____ das una lampara a tu papá.

4. a mi primo y a su esposa / una secadora

   _____ doy una secadora a mi primo y a su esposa.

5. a nuestras hermanas / estéreo

   _____ doy un estéreo a nuestras hermanas.

6. a nuestra profesora / cuadro

   _____ doy un cuadro a nuestra profesora.

2. *Gustar* and similar verbs

5-10 ¡A completar! Complete each statement with the correct form of the verbs in parentheses and the corresponding indirect object pronoun. Follow the model.

Modelo: A mí (gustar) *me gustan* los muebles.

1. A nosotros no (quedar) _____ comida en el refrigerador.

2. A ti (fascinar) _____ una sala grande.

3. A ellos no (gustar) _____ limpiar la casa.

4. ¿(Interesar) _____ a ti los muebles antiguos (*antiques*)?

5. ¿Qué (parecer) _____ a ellas la nueva casa?

6. Al señor (encantar) _____ el cuadro de la sala.

7. A mí (molestar) _____ la cocina sucia (*dirty*).

8. A usted (faltar) _____ una cómoda en el dormitorio.

9. ¿(Gustar) _____ a usted el sofá nuevo?

10. A mí (molestar) _____ Julia y Cristina.

5-11 Mis opiniones. Complete the following paragraph with the correct form of the verbs in parentheses.

A mí me (1. gustar) _____ la nueva casa, pero no me

(2. gustar) _____ hablar con los vecinos porque me (3. molestan)

_____. ¿Te (4. gustar) _____ la nueva casa? A mis amigos les

(5. fascinar) _____ los dormitorios de la casa y también les

(6. encantar) _____ el patio. ¿Te (7. gustar) _____ comer en el

patio? Si quieres, te invito porque no me (8. gustar) _____ comer en la cocina.

5-12 Los gustos. Write sentences describing how you feel about the following rooms, parts of a house, or pieces of furniture.

Modelo: la cocina
   A mí me encanta la cocina grande, porque me gusta cocinar.

1. el comedor _____

_____

2. los dormitorios _____

_____

3. el garaje _____

_____

4. el jardín _____

_____

5. el patio _____

_____

6. la sala _____

_____

7. el sofá _____

_____

8. el librero _____

_____

SEGUNDA PARTE

¡Así es la vida!

5-13 ¿Cierto o falso? Reread the descriptions in **¡Así es la vida!** on page 167 of your textbook and indicate whether each statement is **cierto (C)** or **falso (F).**

C   F   1. Los hermanos Castillo son españoles.

C   F   2. A Antonio le gusta mucho dormir.

C   F   3. Todas las mañanas, Antonio se cepilla los dientes después de levantarse.

C   F   4. Antonio les prepara el desayuno a sus hermanos.

C   F   5. A Beatriz le gusta levantarse temprano.

C   F   6. Ella sale de la casa hoy después de maquillarse.

C   F   7. Beatriz se lava la cara por la mañana.

C   F   8. Enrique es madrugador (*early riser*).

C   F   9. Por las noches, se acuesta muy temprano.

C   F   10. El jefe de Enrique siempre está contento con Enrique.

¡Así lo decimos! Vocabulario

5-14 ¡A completar! Complete each statement with an appropriate word or expression from the word bank.

cepillo de dientes	desayuno	espejo	maquillaje	pintalabios
crema de afeitar	despertador	jabón	peine	secadora

1. Para despertarme a tiempo, necesito un _____.

2. Uso _____ para bañarme.

3. Para cepillarme los dientes, necesito un _____.

4. Para peinarme, uso el _____.

5. Para pintarme los labios, uso un _____.

6. Antes de salir, me miro en el _____.

7. Para secarme el pelo, uso una _____.

8. Antes de afeitarme, uso una _____.

9. Para pintarme la cara, uso _____.

10. Por la mañana como el _____.

5-15 Un poco de lógica. For each group of sentences, match each sentence with a given ordinal numbers in a logical order.

1. a. Me seco con una toalla.   _____ 1. primero

   b. Me preparo el desayuno.   _____ 2. segundo

   c. Me levanto.   _____ 3. tercero

   d. Me baño.   _____ 4. cuarto

   e. Me despierto.   _____ 5. quinto

2. a. Raúl se viste.   _____ 1. primero

   b. Se afeita.   _____ 2. segundo

   c. Raúl se ducha.   _____ 3. tercero

   d. Se cepilla el pelo.   _____ 4. cuarto

   e. Se mira en el espejo.   _____ 5. quinto

3. a. Mis amigos se quitan la ropa.   _____ 1. primero

   b. Se acuestan.   _____ 2. segundo

   c. Se cepillan los dientes.   _____ 3. tercero

   d. Se duermen.   _____ 4. cuarto

4. a. Nos ponemos la ropa.   _____ 1. primero

   b. Nosotros nos ponemos la crema de afeitar. _____ 2. segundo

   c. Nos lavamos la cara.   _____ 3. tercero

   d. Nos afeitamos.   _____ 4. cuarto

5-16 ¡Fuera de lugar! In each set of words, choose the word or expression that is out of place.

1. a. acostarse
    b. bañarse
    c. dormirse
    d. despertarse

2. a. la secadora
    b. el peine
    c. los dedos
    d. la máquina de afeitar

3. a. el maquillaje
    b. la pasta de dientes
    c. los dientes
    d. el cepillo

4. a. afeitarse
    b. ducharse
    c. ponerse contento
    d. peinarse

5. a. la secadora
    b. la cara
    c. el lápiz labial
    d. el jabón

6. a. la navaja de afeitar
    b. la nariz
    c. los labios
    d. los ojos

¡Así lo hacemos! Estructuras

3. Reflexive constructions: Pronouns and verbs

5-17 ¿Qué hacen estas personas por la mañana? Complete the following sentences with the appropriate present tense form of the reflexive verbs in parentheses.

1. Ana María (mirarse) _____ en el espejo antes de salir.

2. Nosotros (levantarse) _____ a las siete.

3. Carlos (secarse) _____ con una toalla.

4. ¿Tú (lavarse) _____ la cara?

5. Mamá (maquillarse) _____.

6. Los niños (bañarse) _____ a las siete.

7. Yo (ducharse) _____ después de levantarme.

8. Ana (ponerse) _____ maquillaje.

9. Papá (afeitarse) _____ con una máquina de afeitar.

10. ¿Tú (pintarse) _____ las uñas por la mañana?

5-18 Por la mañana. Complete the following paragraph with the correct form of the present tense of the verbs from the word bank. You will have to use one of the verbs twice.

afeitarse	cepillarse	despertarse	lavarse	maquillarse	reunirse
bañarse	desayunarse	ducharse	levantarse	pintarse	

Yo (1) _____ a las siete de la mañana. Después de despertarme,

(2) _____, (3) _____ los dientes y (4) _____ con

la máquina de afeitar. Yo no (5) _____ la cara, pero frecuentemente

(6) _____ el pelo. Mis hermanas (7) _____ más tarde, a las siete y

media. Mientras, Petra (8) _____, Paula (9) _____ y

(10) _____ los labios. Luego, todos nosotros (11) _____ en la

mesa y (12) _____ cereales con leche.

5-19 Nos preparamos para la fiesta. There is a party at your dorm. Just as the party is about to begin, the residents are getting ready. Use the appropriate form of the verbs in parentheses.

1. Alicia (ponerse) _____ el vestido nuevo.

2. Patricio no (dormirse) _____.

3. Magdalena no (ponerse) _____ nerviosa. Todo está bien.

4. Julio (afeitarse) _____ ahora mismo.

5. Juan Bruno (ponerse) _____ los zapatos.

6. Camila (sentarse) _____ y (prepararse) _____ una taza de té.

7. Rosa (peinarse) _____.

8. Teresa (enojarse) _____ conmigo.

9. Gilberto (lavarse) _____ las manos antes de cocinar.

10. Rosaura (quitarse) _____ de en medio (*gets out of the way*).

5-20 Preguntas personales. Answer the following questions with complete sentences in Spanish.

1. ¿Eres madrugador/a (*early riser*)? ¿A qué hora te despiertas?

   _____

2. ¿Prefieres bañarte o ducharte?

   _____

3. ¿Con qué te afeitas?

   _____

4. ¿Cuándo te pones perfume o loción?

   _____

5. ¿Cuándo te pones impaciente?

   _____

6. ¿Cuándo te alegras y cuándo te pones triste?

   _____

7. ¿Cuándo te pones nervioso/a?

   _____

8. Generalmente, ¿a qué hora te acuestas?

   _____

5-21 Celina y Santiago. Celina and Santiago are madly in love with each other. What does Celina say they do?

MODELO: llamarse por teléfono todos los días
         Nosotros nos llamamos por teléfono todos los días.

1. quererse mucho

   Nosotros _____ mucho.

2. escribirse poemas todos los días

   Nosotros _____ poemas todos los días.

3. contarse los problemas

Nosotros _____ los problemas.

4. hablarse antes y después de clase

Nosotros _____ antes y después de clase.

5. ayudarse con la tarea

Nosotros _____ con la tarea.

6. decirse que se aman

Nosotros _____ que _____.

7. besarse mucho

Nosotros _____ mucho.

8. tratarse muy bien

Nosotros _____ muy bien.

5-22 Mis amigos. Complete the narrative about a day you spend with some friends by filling in the blanks with the correct form of the present tense of the appropriate verb from the word bank. You will need to use one of the verbs twice.

bañarse	despertarse	dormirse	ponerse	reunirse
despedirse	divertirse	llamarse	prepararse	sentarse

Mis amigos y yo (1) _____ por teléfono el sábado y (2) _____

en el centro estudiantil para ir a la playa ese día. En la playa, nosotros (3) _____

en la arena y (4) _____ en el mar. Luego, (5) _____, porque

estamos cansados y cuando (6) _____, (7) _____ en el mar otra

vez. Después de llegar a casa, (8) _____ unos sándwiches y

(9) _____ ropa para ir a una fiesta. Nosotros (10) _____ mucho

y luego (11) _____ a la una de la mañana.

5-23 ¡Qué romántico! Jorge and Susana are in love. Tell how they meet by filling in the blanks with reciprocal reflexive verb forms.

MODELO: Jorge conoce a Susana en la fiesta. Susana conoce a Jorge en la fiesta.
Jorge y Susana se conocen en la fiesta.

1. Jorge mira a Susana. Susana mira a Jorge.

   Jorge y Susana _____ .

2. Jorge le sonríe a Susana. Susana le sonríe a Jorge.

   Jorge y Susana _____ .

3. Susana le dice "hola" a Jorge y Jorge le dice "hola" a Susana.

   Susana y Jorge _____ "hola".

4. Jorge le pide el nombre a Susana. Susana le pide el nombre a Jorge también.

   Jorge y Susana _____ el nombre.

5. Susana le ofrece un refresco a Jorge. Jorge le ofrece un refresco a Susana.

   Susana y Jorge _____ un refresco.

6. Jorge le habla a Susana del trabajo. Ella también le habla del trabajo.

   Jorge y Susana _____ del trabajo.

7. Jorge decide llamar a Susana. Susana decide llamar a Jorge también.

   Jorge y Susana deciden _____ .

8. Jorge invita a Susana al cine. Ella también lo invita al cine.

   Jorge y Susana _____ al cine.

5-24 El verano. It's summer, and you are no longer on campus. Answer the following questions about your relationship with your friends.

1. ¿Se escriben a menudo (*often*) tú y tus amigos?

   _____

2. ¿Se cuentan cosas muy personales?

   _____

3. ¿Se hablan por teléfono?

   _____

4. ¿Se ven a menudo?

   _____

5. ¿Se visitan durante el verano?

   _____

4. Comparisons of equality and inequality

5-25 Cristina y Rosa. Cristina and Rosa are identical twins. Compare the twins by turning each sentence into a comparative statement, using **tan... como, tanto/a(s)... como,** or **tanto como.**

MODELO: Cristina y Rosa son muy amables.
              Cristina es tan amable como Rosa.

1. Cristina y Rosa tienen muchos amigos.

   _____

2. Cristina y Rosa hablan mucho.

   _____

3. Cristina y Rosa son muy responsables.

   _____

4. Cristina y Rosa tienen mucha paciencia.

   _____

5. Cristina y Rosa se enamoran mucho.

   _____

6. Cristina y Rosa son muy simpáticas.

   _____

7. Cristina y Rosa son muy bonitas.

   _____

8. Cristina y Rosa tienen muchos quehaceres.

   _____

5-26 La casa ideal. Carlos and Juan, two of your friends, are arguing about who has a better house. Fill in the blanks to make equal comparisons.

1. La casa de Carlos tiene _____ dormitorios como la casa de Juan.

2. La casa de Juan es _____ grande como la casa de Carlos.

3. La casa de Carlos es _____ cara _____ la casa de Juan.

4. La casa de Juan tiene _____ dormitorios _____ la casa de Carlos.

5. La casa de Carlos cuesta _____ _____ la casa de Juan.

6. La casa de Juan es _____ bonita como la casa de Carlos.

7. La casa de Carlos me gusta _____ _____ la casa de Juan.

5-27 Más comparaciones. Based on the information from the advertisement on page 147, decide if the following statements are **cierto (C)** or **falso (F).**

C   F   1. La casa en Los Arcos es más grande que la casa en Parritta.

C   F   2. La casa en Santo Domingo de Heredia tiene más dormitorios que la casa en Parritta.

C   F   3. La casa en Palo Seco tiene menos baños que la casa en Los Arcos.

C   F   4. La casa en Palo Seco es más pequeña que la casa en Santo Domingo de Heredia.

C   F   5. La casa en Palo Seco es más cara que la casa en Parritta.

C   F   6. La casa en Santo Domingo de Heredia es más barata que la casa en Los Arcos.

C   F   7. La casa en Palo Seco está más cerca de la playa que la casa en Santo Domingo de Heredia.

C   F   8. En general, la casa en Parrita es mejor que la casa en Palo Seco.

5-28 Más casas y apartamentos. Use the advertisement on page 147 to write five original unequal comparisons, following the model.

MODELO: *La casa en Los Arcos tiene más dormitorios que la casa en Parritta.*

1. _____

2. _____

3. _____

4. _____

5. _____

NUESTRO MUNDO

Panoramas

5-29 ¡A informarse! Based on the information from **Nuestro mundo** on pages 180–181 of your textbook, decide if the following statements are **cierto (C)** or **falso (F).**

1. El Canal de Panamá fue (*was*) construido entre 1903 y 1910.

2. Los EE.UU. controló el canal hasta 1999.

3. Desde su construcción, 14.000 barcos han navegado por el canal.

4. Los Kuna son una sociedad patriarcal.

5. Los Kuna son conocidos por sus creaciones textiles.

6. Las ranas de las selvas costarricenses no son peligrosas.

7. Las ranas en Centroamérica son de oro.

8. La iguana verde es una especie protegida en Costa Rica.

9. En Centroamérica ocurren muchos desastres naturales.

10. Violeta Chamorro es la presidenta de Nicaragua.

5-30 Tu propia experiencia. Based on the information that you have learned and your own opinion, answer the following questions.

1. ¿Crees que es posible tener un país sin (*without*) ejército (*army*)?

_____

_____

_____

_____

2. ¿Por qué es importante el Canal de Panamá?

_____

_____

_____

_____

Taller

5-31 Las rutinas diarias

Primera fase. Make a list of your typical weekday morning or evening routine. Try to order the activities in sequence numerically.

MODELO:

ORDEN	ACTIVIDAD	LA HORA
1.	me despierto	las seis
2.	me levanto	las seis y cuarto

ORDEN	ACTIVIDAD	LA HORA
1. _____	_____	_____
2. _____	_____	_____
3. _____	_____	_____
4. _____	_____	_____
5. _____	_____	_____
6. _____	_____	_____
7. _____	_____	_____
8. _____	_____	_____
9. _____	_____	_____
10. _____	_____	_____

Segunda fase. Use the information you provided in the **Primera fase** to write a description of your typical morning or evening. Add other details whenever possible.

MODELO: *En general, me despierto a las seis de la mañana, porque mi primera clase es a las siete y media, pero muchos días no me levanto inmediatamente. Me levanto a las seis y cuarto. Después...*

_____

_____

_____

_____

_____

5-32 Cantantes. Rubén Blades, Willie Colón, and Adrián Goizueta are Hispanic singers and songwriters whose music often includes sociopolitical commentary. Use the Internet, library sources, and possibly music stores to look up more information about these artists, their music, and their sociopolitical concerns. Clips from some of their songs can be found online. Find out the following information on each singer.

- País de origen
- Tipo de música
- Los nombres de canciones y álbumes populares
- Su activismo

RUBÉN BLADES

_____

_____

_____

WILLIE COLÓN

_____

_____

_____

ADRIÁN GOIZUETA

_____

_____

_____

5-33 Costa Rica. In an area no larger than the state of West Virginia, Costa Rica is home to 5 percent of all species of plants and animals that inhabit the earth. That's somewhere between 500,000 and one million species of flora and fauna. One quarter of the country is set aside for national parks and biological reserves. Research an aspect of Costa Rica's natural resources and beauty, and organize the information you find in a chart or on a poster.

- Los pájaros (*birds*) de Costa Rica
- Las mariposas (*butterflies*) de Costa Rica
- Los parques y las reservas biológicas de Costa Rica
- Los programas de preservación y protección en Costa Rica
- Los bosques (*forests*) tropicales

Nombre: _____   Fecha: _____

5-34 Más allá de las páginas. Using the Internet, look for different resorts in Costa Rica where there are houses for sale. Imagine you are in the market to buy a house. Choose one of the houses you find on the Internet that you would buy and explain why.

_____

_____

_____

_____

_____

¿Cuánto sabes tú?

5-35 ¿Sabes de pronombres de objeto indirecto? Match the following sentences with the appropriate indirect object pronoun.

1. Nosotros _____ damos una lámpara a mi madre.   a. nos

2. Yo _____ plancho la ropa a ti.   b. me

3. Mi madre _____ dice a mí que limpie mi habitación.   c. le

4. Mi padre _____ prepara el desayuno a nosotros.   d. les

5. Yo _____ limpio la habitación a mis hermanas.   e. te

5-36 ¿Sabes usar los verbos como *gustar*? Fill in the blanks with the appropriate form of the verbs in parentheses.

1. Me (encantar) _____ las casas cerca de la playa.

2. A mi hermano no le (gustar) _____ afeitarse.

3. Nos (interesar) _____ las clases de español.

4. Te (fascinar) _____ los cuadros de Picasso.

5. A mí me (molestar) _____ los vecinos ruidosos (*noisy*).

6. A ella no le (caer bien) _____ sus compañeros de clase.

5-37 ¿Sabes de acciones reflexivas y recíprocas? Read the following paragraph, and pay attention to the pronouns in italics. Fill in the blanks with the correct pronoun. Make all the necessary corrections to give logical sense to the paragraph. If no change is necessary, fill in the blank with the same pronoun in italics.

Yo *me* (1) _____ levanto a las seis y media. *Me* (2) _____ gusta

levantar*te* (3) _____ temprano porque puedo duchar*se* (4)_____

tranquilamente. Después de duchar*me* (5) _____, *me* (6) _____

cepillo los dientes y *nos* (7) _____ afeito. Cuando termino, despierto a mi

hermana Rosa. A ella no *me* (8) _____ gusta levantar*te* (9) _____

temprano. Ella *se* (10) _____ maquilla todas las mañanas después de duchar*nos*

(11) _____. Adriana *se* (12) _____ levanta más tarde que todos.

Ella *se* (13) _____ ducha por las noches y por las mañanas sólo tiene que

cepillar*nos* (14) _____ los dientes y peinar*se* (15) _____. Durante

el desayuno, mis hermanas y yo *nos* (16) _____ hablamos y , a veces, *se*

(17) _____ enojamos, pero *se* (18) _____ queremos mucho.

5-38 ¿Sabes comparar? Ramón thinks he is better than his friend Rafael, and he likes to compare himself with Rafael. Read the following paragraph and fill in the blanks to complete the comparisons, choosing a word from the word bank. You will have to use some words twice.

más   mayor   mejor   menos

¡Yo soy (1) _____ que Rafael! Para empezar (*To start with*), yo tengo veintidós

años y Rafael tiene veinte. Yo soy (2) _____ que Rafael. Yo estudio

(3) _____ que él y sus clases son (4) _____ fáciles que mis

clases. Rafael es (5) _____ inteligente que yo. En deportes, yo juego

(6) _____ que él al tenis, al fútbol y al baloncesto.

Lab Manual

PRIMERA PARTE

¡Así es la vida!

5-39 ¡Los quehaceres! Marcos, Verónica, and Diego are students sharing a house. Listen to the following descriptions of the household chores for which each of them is responsible. Then indicate whether each statement below is **cierto (C)** or **falso (F).**

C   F   1. Dos veces por semana, Marcos sacude el polvo de los muebles.

C   F   2. Una vez a la semana, Marcos usa la lavadora y la secadora.

C   F   3. Todas las semanas, Verónica tiene que limpiar los baños.

C   F   4. Verónica usa la aspiradora y el lavaplatos.

C   F   5. Verónica come las comidas que prepara Diego.

C   F   6. Diego usa la escoba para limpiar la cocina.

C   F   7. Diego nunca se olvida de su trabajo y se pone furioso cuando Marcos no limpia.

C   F   8. Marcos y Diego usan la aspiradora.

5-40 Mi casa nueva. Leticia is describing her new house to her mother. Looking at the picture that follows, answer her mother's questions. Then listen and repeat as the speaker gives the correct answer.

MODELO: You hear: ¿Qué hay sobre la cómoda?
           You say: *Sobre la cómoda hay una lámpara.*

1. ...

2. ...

3. ...

4. ...

5. ...

¡Así lo decimos! Vocabulario

5-41 ¿Cómo es mi casa? Listen as Magdalena describes what happens in her house. Select all the letters corresponding to the statements that are correct, according to what you hear. Listen to Magdalena's description as many times as necessary to find all the correct statements.

1. ¿A quiénes les gusta limpiar la casa?

   a. Magdalena

   b. Rosario

   c. Diego

2. ¿Quién le cae mal a Magdalena?

   a. Rosario

   b. Roberto

   c. Diego

3. ¿Qué no le molesta hacer a Magdalena?

   a. lavar la ropa

   b. sacudir el polvo de los muebles

   c. secar la ropa

4. ¿A quién le gusta barrer?

   a. Rosario

   b. Roberto

   c. Diego

5. En los restaurantes, ¿qué le encantan a Diego?

   a. los refrescos

   b. las hamburguesas

   c. las ensaladas

6. ¿Qué le falta a Diego?

   a. una hamburguesa

   b. el dinero para comer

   c. el tiempo para comer bien

Pronunciación

Los sonidos *r* y *rr*

The Spanish **r** has two distinct sounds. The **rr** represents a strong trilled sound, and it is produced by striking the tip of the tongue against the ridge behind the upper front teeth in a series of rapid vibrations. When a single **r** appears at the beginning of a word or after the consonants **l, n,** and **s,** it is pronounced like the **rr.**

Roberto	**repetir**	**correr**	**alrededor**	**barrer**
cerrar	**ratón**	**enredo**	**Israel**	**terraza**

In all other positions, the Spanish **r** is a tap, pronounced similarly to the *dd* in the English word *ladder.*

cero	**oro**	**arena**	**abrir**	**estéreo**
ladra	**mira**	**pero**	**cara**	**dentro**

5-42 Pronunciemos. You will hear a series of words containing the trilled **r.** Repeat each word after the speaker.

1. Ramón
2. cerro
3. Enrique
4. regular
5. morro

6. alrededor
7. arriba
8. Roberto
9. enredo
10. perro

5-43 Pronunciemos más. You will now hear a series of words containing the "flap" **r** in Spanish. Repeat each word after the speaker.

1. pero
2. amarillo
3. ahora
4. mirar
5. abrir

6. azúcar
7. colores
8. caro
9. pera
10. mujer

5-44 En frases completas. Now repeat the following sentences that have words containing both the flap **r** and the trilled **r.** Imitate the speaker's pronunciation as closely as you can.

1. Roberto y Laura regresan en carro.

2. Ahora tú quieres una pera amarilla.

3. Es un carro muy caro de color rojo.

4. Enrique mira el perro en el cerro.

5. Rosa practica los verbos irregulares.

¡Así lo hacemos! Estructuras

1. The verbs *decir* and *dar,* indirect objects, and indirect object pronouns

5-45 ¿Decir o dar? Complete the following sentences with the correct form of the verbs **decir** or **dar.** Then listen and repeat as the speaker gives the correct answer.

1. La profesora _____ un examen a las ocho.

2. Yo _____ dónde están la escoba y el basurero.

3. Ellos siempre le _____, ¿"Qué pasa, calabaza"? a Federica.

4. Nosotros le _____ nuestra aspiradora a Carlos.

5. Tú le _____ una lámpara para su escritorio.

5-46 ¿A quién? Complete the following sentences with the correct form of the indirect object pronoun. Then listen and repeat as the speaker gives the correct answer.

1. ¿_____ traemos la aspiradora? (a ti)

2. ¿_____ das los muebles? (a nosotros)

3. ¿_____ enseñas a barrer el piso? (a ellas)

4. ¿_____ dices dónde está el lavaplatos? (a él)

5. ¿_____ puedes comprar este librero? (a mí)

5-47 ¡Claro que sí! Answer the questions you hear affirmatively, changing the position of the indirect object pronouns. Then listen and repeat as the speaker gives the correct answer.

MODELO: You hear: ¿Están comprándonos los cuadros?
            You say: *Sí, nos están comprando los cuadros.*

1. Sí,_____.   3. Sí,_____.

2. Sí,_____.   4. Sí,_____.

Nombre: _____ Fecha: _____

5-48 Mis amigos y yo cooperamos en la casa. Complete the following sentences with the correct indirect object pronoun, based on the indirect object you hear. Then listen and repeat as the speaker gives the correct answer.

1. Yo _____ plancho los pantalones.

2. Tú _____ barres el piso de la cocina.

3. Julia _____ lava la ropa.

4. Silvia _____ hace las compras.

5. Ricardo y Julia _____ lavan los platos.

2. *Gustar* and similar verbs

5-49 ¿Qué te gusta? Tell what the following people like using the cues provided. Then listen and repeat as the speaker gives the correct answer.

MODELO: You see: A nosotros _____ mesas redondas
You write and say: *A nosotros nos gustan las mesas redondas.*

1. A ti _____ las paredes blancas.

2. A mí _____ los cuadros abstractos.

3. A ustedes _____ comer en la terraza.

4. A ella _____ sacudir el polvo de los muebles.

5. A nosotros _____ esa taza de porcelana inglesa.

6. A usted _____ los muebles caros.

5-50 ¿Qué opinas? Make complete sentences using the words provided. Then listen and repeat as the speaker gives the correct answer.

1. A mí _____ las personas que no limpian. (molestar)

2. A ti _____ ver las lámparas de halógeno. (interesar)

3. A nosotros _____ quitar la mesa. (faltar)

4. A ustedes _____ Julián. (caer bien)

5. A usted _____ Javier y Anita. (caer mal)

6. A Enrique y a mí _____ nuestra aspiradora. (encantar)

7. A Isabel y a Teodor _____ la alfombra en el comedor. (fascinar)

SEGUNDA PARTE

¡Así es la vida!

5-51 Teresa y Manuel. Listen to the following conversation. Then select the letters for all statements that are correct, according to what you hear.

1. Teresa...

   a. se despierta a las ocho y media.

   b. se despierta a las ocho y cuarto.

   c. se baña.

2. Manuel...

   a. despierta a Teresa.

   b. se duerme.

   c. se enoja con Teresa.

3. Teresa tiene que ver al señor Vargas y...

   a. no se siente nerviosa.

   b. se siente nerviosa.

   c. se pone contenta.

4. El hotel...

   a. no está limpio.

   b. es bonito.

   c. tiene toallas grandes.

5. Teresa necesita usar... del hotel.

   a. la pasta de dientes

   b. la loción

   c. el jabón

6. Teresa se pone...

   a. el suéter verde.

   b. los pantalones negros.

   c. la blusa blanca.

7. Antes de salir del hotel, Teresa...

   a. se viste.

   b. se sienta a desayunar.

   c. se ducha, se seca el pelo y se maquilla.

¡Así lo decimos! Vocabulario

5-52 ¡Una casa ocupada! Match the number of each description you hear with the scenes depicted in the following illustration. Check your answers in the Answer Key.

Pronunciación

Los sonidos *s*, *n* y *l*

1. The Spanish **s** is pronounced like the English *s* in the word *set*.

| casa | soy | soñar | sábado | mesa | solo |

2. The Spanish **n** is pronounced like the English *n* in the word *never*.

| nunca | nadie | andar | nada | pan | lunes |

However, before the letters **b, v, m,** and **p,** the pronunciation of the letter **n** approximates that of the letter **m.**

| un beso | un padre | en vano | sin mamá | inmediato | con prisa |

3. To pronounce the **l,** place the tip of your tongue on the ridge behind your upper front teeth. Your tongue does not touch the upper front teeth as it does when pronouncing the English *l*.

| Luis | vela | Lola | lunes | sal | loro |

5-53 Pronunciemos. You will hear a series of words beginning with the letter **s.** Repeat each word after the speaker.

1. sala

2. semana

3. salir

4. siento

5. sesenta

6. solamente

7. semestre

8. sábado

9. setenta

10. ser

5-54 Pronunciemos más. You will hear a series of words beginning with the letter **n.** Repeat each word after the speaker.

1. nada

2. no

3. nunca

4. nieve

5. nena

6. nota

7. nadie

8. nueve

9. nación

10. nube

5-55 Pronunciemos más. You will now hear a series of words and phrases in which the Spanish letter **n** precedes **b, v, m,** and **p.** Repeat each word or phrase after the speaker.

1. un vaso

2. investigar

3. un peso

4. un baño

5. invertir

6. un paso

7. un mes

8. un bolígrafo

5-56 Y pronunciemos más. You will now hear a series of words beginning with the letter **l.** Repeat each word after the speaker.

1. lado

2. los

3. Luis

4. lunes

5. lengua

6. Leticia

7. Lola

8. lanzar

9. López

10. luz

¡Así lo hacemos! Estructuras

3. Reflexive constructions: Pronouns and verbs

5-57 ¿Cuándo haces...? Form complete sentences using the cues provided. Then listen and repeat as the speaker gives the correct answer.

MODELO: You see: Sofía / levantarse / temprano
You say: *Sofía se levanta temprano.*

1. yo / acostarse / a las diez

2. tú / dormirse / a la medianoche

3. ella / quitarse / la ropa

4. nosotros / afeitarse / todas las mañanas

5. los niños / bañarse / por la tarde

6. ¿Arturo / cepillarse / los dientes?

7. tú / secarse / el pelo con la secadora

8. nosotros / divertirnos / en la fiesta

9. yo / enamorarse / mucho

10. nuestros abuelos / enojarse / a veces

5-58 Actividades diarias. Answer the following questions you hear either positively or negatively, according to the cues. Then listen and repeat as the speaker gives the correct answer.

MODELO: You hear: ¿Te despiertas a las siete?
            You say: *Sí, me despierto a las siete.*
                    or
            You say: *No, no me despierto a las siete.*

1. Sí, _____.   4. No, _____.

2. No, _____.   5. Sí, _____.

3. Sí, _____.   6. No, _____.

5-59 ¿Qué está pasando? Using the cues provided, tell what the following people are doing now. Follow the model. Then listen and repeat as the speaker gives the correct answer.

MODELO: You see: Carlos / afeitarse
            You say: *Carlos está afeitándose.*

1. Margarita y Soledad / despertarse   4. yo / mirarse en el espejo

2. Gabriel / ponerse nervioso   5. nosotros / vestirse

3. tú / dormirse   6. mi prima y yo / divertirse

Now repeat the exercise, using the same cues and the following model. Then listen and repeat as the speaker gives the correct answer.

MODELO: You hear: Carlos / afeitarse
            You write and say: *Carlos se está afeitando.*

7. Margarita y Soledad _____.

8. Gabriel _____ nervioso.

9. Tú _____ en el espejo.

10. Yo _____.

11. Nosotros _____.

12. Mi prima y yo _____.

5-60 El amor de Jorge y Silvia. Reconstruct the love story of Jorge and Silvia using the cues provided. Then listen and repeat as the speaker gives the correct answer.

MODELO: You see: conocerse / una larga noche de verano
You say: *Se conocen una larga noche de verano.*

1. conocerse / en una fiesta de la universidad

2. entenderse / perfectamente

3. enamorarse / rápidamente

4. llamarse / por teléfono todos los días

5. casarse / en la primavera

6. enojarse / a menudo

7. separarse / en el otoño

8. encontrarse / en el invierno

9. besarse / con pasión

10. juntarse / otra vez

4. Comparisons of equality and inequality

5-61 Comentarios en una panadería. Compare what the following people have using the words provided. Then listen and repeat as the speaker gives the correct answer.

MODELO: You see: Ana / primos / yo
You say: *Ana tiene tantos primos como yo.*

1. abuela Dora / nietas / abuelo Enrique

2. tía Clara / sobrinos / tío Ernesto

3. yo / primas / tú

4. Enrique / nueras / papá

5. tu nuera / años / mi yerno

5-62 Hacer comparaciones. Compare the following people using the cues provided. Then listen and repeat as the speaker gives the correct answer.

MODELO: You see: Ana / ser / amable / yo
                You say: *Ana es tan amable como yo.*

1. mi sobrino / ser / inteligente / su padre

2. mi hijo / hacer compras / rápidamente / su tío

3. tu nieta / ser / simpática / tu hija

4. yo / levantarse / temprano / mi madre

5. tú / hablar / español / bien / tu abuelo

5-63 ¿Cómo son? Compare the following shopping situations using the cues provided. Then listen and repeat as the speaker gives the correct answer.

MODELO: You see: Ana / + / alta / Pablo
                You say: *Ana es más alta que Pablo.*

1. el centro comercial nuevo / + / grande / el centro comercial viejo

2. este almacén / − / elegante / ese almacén

3. estos dependientes / + / amable / aquellos dependientes

4. estos precios / − / barato / esos precios

5. las rebajas aquí / + / grande / las rebajas en la otra tienda

5-64 Dos dependientes en una joyería. Listen to the descriptions of Elena and Mariana, and answer the questions that follow. Then listen and repeat as the speaker gives the correct answer.

1. ¿Quién tiene menos años?

2. ¿Quién es más alta?

3. ¿Quién es más inteligente?

4. ¿Quién tiene menos hermanos?

5. ¿Quién es más simpática?

¿Cuánto sabes tú?

5-65 La casa de mis sueños. As you listen to the description of the speaker's dream house, check each room and the items in that room that are mentioned.

_____ aspiradora	_____ cuadro	_____ jardín	_____ sillas
_____ baño	_____ dormitorio	_____ lámpara	_____ sillón
_____ cama	_____ escoba	_____ mesa	_____ sofá
_____ cocina	_____ escritorio	_____ patio	
_____ comedor	_____ estantes	_____ sala	
_____ cómoda	_____ garaje	_____ secadora	

5-66 Tarea y quehaceres. Answer the questions you hear using the cues provided. Then listen and repeat as the speaker gives the correct answer.

MODELO: You hear: ¿Qué haces tú cuándo yo me acuesto?
You see: barrer el cuarto
You say: *Yo barro el cuarto cuando tú te acuestas.*

1. lavar la ropa
2. poner la mesa
3. preparar el desayuno

4. pelearse
5. pasar la aspiradora
6. ponerse enojada

5-67 ¿Que haces en casa? Answer the questions you hear according to the cues provided. Then listen and repeat as the speaker gives the correct answer.

MODELO: You hear: ¿Ordenas el cuarto?
You say: *Sí, lo ordeno.*
or
You say: *No, no lo ordeno.*

1. Sí, _____.
2. No, _____.
3. Sí, _____.

4. No, _____.
5. Sí, _____.
6. No, _____.

Nombre: _____ Fecha: _____

5-68 "No, pero..." Answer the following questions negatively using the cues provided. Then listen and repeat as the speaker gives the correct answer.

MODELO: You hear: ¿Te lavas las manos?
You see: pelo
You say: *No, no me lavo las manos. Me lavo el pelo.*

1. crema de afeitar

2. la loción

3. la máquina de afeitar

4. un suéter

5. los ojos

6. la secadora de pelo

5-69 Preguntas personales. Write an appropriate response to the questions or statements that you hear. Then read your response to practice communication and pronunciation.

1. _____

2. _____

3. _____

4. _____

5. _____

6. _____

7. _____

8. _____

9. _____

11 ¿Para qué profesión te preparas?

Workbook

PRIMERA PARTE

¡Así es la vida!

11-1 Los trabajadores. Reread the business cards in **¡Así es la vida!** on page 362 of your textbook and complete the following statements by choosing the most appropriate answer.

1. Margarita Alfonsín Sandini es...

   a. psicóloga clínica.   b. abogada.   c. analista de sistemas.

2. Trabaja en...

   a. el Centro Comercial Houssay.   b. la calle Torrego.   c. el hospital.

3. Su número de teléfono es el...

   a. dos, seis, nueve, nueve.   c. dos, siete, siete, cuatro, dos, seis, ocho.

   b. dos, siete, siete, cinco, cinco, seis, uno.

4. Rafael Betancourt Rosas es...

   a. ingeniero industrial.   b. psicólogo clínico.   c. abogado.

5. Su oficina está en el...

   a. centro comercial.   b. hospital.   c. edificio Díaz de Solís.

6. La doctora Mercedes Fernández de Robles es...

   a. abogada.   b. psicóloga clínica.   c. ingeniera industrial.

7. Su oficina está en el...

   a. hospital.   b. centro comercial.   c. edificio Díaz de Solís.

8. Ramón Gutiérrez Sergil es...

    a. abogado.   b. analista de sistemas.   c. ingeniero industrial.

9. La calle donde se encuentra su oficina se llama...

    a. Torre las Brisas.   b. San Juan.   c. la avenida Fernández Juncos.

10. Trabaja en...

    a. San Juan.   b. Montevideo.   c. Buenos Aires.

¡Así lo decimos! Vocabulario

11-2 ¡A completar! Choose a word or expression from the word bank to complete each of the following statements.

a comisión	entrenamiento	meta	secretario
arquitecta	intérprete	peluquero	veterinaria

1. Esa _____ nos va a diseñar una casa nueva.

2. Este _____ es magnífico. Puede escribir a máquina sesenta palabras por minuto sin errores.

3. El _____ me recomienda que use más champú.

4. Mariluz sabe muchos idiomas; ella es la _____ de su compañía.

5. La supervisora de los nuevos empleados ha preparado un buen programa de

    _____. Ellos van a aprender mucho sobre sus responsabilidades durante esta

    semana.

6. Los vendedores no reciben un salario fijo. Ellos trabajan _____.

7. Mi _____ es obtener ese puesto.

8. La _____ curó a mi perro.

11-3 Palabras relacionadas. What words do you remember from previous lessons that are related to these new vocabulary words? Match the new words with the most appropriate word.

_____ 1. el/la dentista   a. la cuenta

_____ 2. el/la contador/a   b. la receta

_____ 3. el/la cocinero/a   c. la pastilla

_____ 4. el/la vendedor/a   d. la comisión

_____ 5. el/la viajante   e. pasta de dientes

_____ 6. el/la doctor/a   f. el viaje

11-4 Combinación. Use corresponding elements in the two columns to form eight logical sentences.

un gerente	apagar un fuego
una veterinaria	atender a los clientes
un mecánico	contratar más empleados
un peluquero	cortar el pelo
una carpintera	curar a mi perro
una bombera	hacer muebles
un cartero	reparar el coche
un vendedor	repartir las cartas

1. _____

2. _____

3. _____

4. _____

5. _____

6. _____

7. _____

8. _____

11-5 Los anuncios clasificados. Read the following **VideoMúsica** want ad and answer the questions by choosing the most appropriate answer.

1. ¿Qué solicita VideoMúsica?

    a. actores/actrices y bailarines/as   b. vendedores/as y cajeros/as   c. contador/a e intérprete

2. ¿Qué requisitos deben satisfacer los/as vendedores/as?

    a. mayor de 21 años   c. mayor de 18 años

    b. disponibilidad inmediata tiempo completo

3. ¿Qué documento no tienen que traer los solicitantes?

    a. cédula de identidad   b. pasaporte   c. referencias personales

4. ¿Qué no ofrece VideoMúsica?

    a. largas vacaciones   b. buen ambiente   c. desarrollo profesional

¡Así lo hacemos! Estructuras

1. The subjunctive with impersonal expressions

11-6 El/la jefe/a de personal. You are the personnel director of a large firm, and you are describing how you and your staff should conduct yourselves. Fill in the blanks with the correct form of the verbs in parentheses.

1. No es malo (hablar) _____ con los supervisores.

2. Es necesario que tú (mirar) _____ el horario de trabajo.

3. Es indispensable que tú (conseguir) _____ clientes.

4. Es importante que ustedes (leer) _____ algo sobre la empresa.

5. Es mejor que todos nosotros (saber) _____ cuáles son nuestras responsabilidades.

6. Siempre es bueno que usted (conocer) _____ al gerente.

7. Es urgente que ustedes (ser) _____ siempre puntuales.

8. Es preciso que yo les (dar) _____ entrenamiento a todos los empleados.

9. Es bueno que ustedes siempre (decir) _____ la verdad.

10. Es importante que nosotros (trabajar) _____ bien.

11-7 ¡A completar! Complete the following sentences with the correct form of the verbs in parentheses.

1. Es cierto que nuestra compañía (tener) _____ muchas metas.

2. Es dudoso que los puestos de esa compañía (ser) _____ mejores que los nuestros.

3. Es urgente que los bomberos (apagar) _____ el fuego en ese almacén.

4. Es extraño que allí no (haber) _____ buenos carpinteros.

5. Es obvio que un arquitecto (diseñar) _____ edificios.

6. Es importante que la supervisora siempre (estar) _____ temprano en el trabajo.

7. Es mejor que el gerente me (subir) _____ el sueldo.

8. No es preciso que la cartera (venir) _____ temprano hoy.

9. Es difícil (hacer) _____ dos trabajos diariamente.

10. Es una lástima que tu hermana y tú no (conseguir) _____ ese puesto.

11. Es fácil (trabajar) _____ a comisión.

12. Es bueno que los empleados (conocer) _____ a los supervisores.

13. En una compañía internacional, es indispensable (saber) _____ dos idiomas.

14. Es posible que nos (dar) _____ un buen sueldo.

15. Es malo que los empleados (conversar) _____ mucho en el trabajo.

16. Es necesario (llegar) _____ a tiempo al trabajo.

17. Es cierto que yo (reparar) _____ computadoras.

18. Es increíble que ese vendedor no (vender) _____ más.

19. Es imposible que los peluqueros (sacar) _____ muelas.

20. No es dudoso que ellas (estudiar) _____ para ser psicólogas.

11-8 Entrevista. Imagine that you are the president of an important corporation, and you are being interviewed by a group of students. Answer their questions with complete sentences in Spanish.

1. ¿Qué es importante para conseguir un buen puesto?

_____

2. ¿Qué es indispensable en su compañía?

_____

3. ¿Qué es necesario para ser un buen gerente?

_____

4. ¿Qué es evidente en un buen empleado?

_____

5. ¿Es cierto que las personas bilingües están mejor preparadas?

_____

11-9 La despedida de Miguel. The company is about to fire Miguel. His friend Ricardo wants to help him; however, his friend José is reluctant. Find out what happens by completing the dialog with the correct form of the verbs in parentheses.

Ricardo: ¿Oíste lo que le (1. pasar) _____ a Miguel Griffin?

José: No, ¿qué es lo que le (2. ocurrir) _____?

Ricardo: Es evidente que el gerente no lo (3. querer) _____ más.

José: Bueno, pero es verdad que Miguel (4. ser) _____ muy

perezoso y muy arrogante.

Ricardo: Es increíble que tú (5. decir) _____ eso de Miguel.

José: ¡Cómo es posible que tú (6. ser) _____ tan tonto!

Ricardo: Mira, es mejor que nosotros (7. llamar) _____ a la

supervisora.

José: Sí, pero es probable que ella no nos (8. escuchar) _____.

Ricardo: Entonces, es indispensable que tú (9. hablar) _____ con el

gerente. Tú lo (10. conocer) _____ a él, y

(11. ser) _____ su amigo.

José: Sí, pero es posible que él (12. estar) _____ de vacaciones.

Ricardo: Es obvio que tú (13. ser) _____ un mal amigo, y no

(14. querer) _____ ayudar a Miguel.

José: Es una lástima que tú (15. hablar) _____ tan mal de mí.

Ricardo: Mira, es mejor que tú no (16. decir) _____ esas cosas.

José: Bueno, es verdad que tú y yo (17. tener) _____ muchas

diferencias. ¡Hasta luego!

SEGUNDA PARTE

¡Así es la vida!

11-10 En busca de empleo. Reread the letter and interview in **¡Así es la vida!** on page 371 of your textbook, and answer the following questions by choosing the most appropriate answer.

1. ¿Quién es Isabel Urquiza Duarte?

   a. una estudiante universitaria   b. una analista programadora   c. una chica puertorriqueña

2. ¿Por qué lee ella los avisos clasificados?

   a. para divertirse   b. quiere conseguir trabajo   c. quiere estudiar en la universidad

3. ¿En qué se especializa Isabel?

   a. programación   b. finanzas   c. informática y contabilidad

4. ¿Cómo se considera ella?

   a. responsable   b. poco profesional   c. experta

5. ¿Qué incluye ella con su carta de presentación?

   a. su foto   b. las notas de la universidad   c. el *currículum vitae*

6. ¿Quién es la señora Posada?

   a. la madre de Isabel   b. la gerente de Centro de Cómputo S.A.   c. una amiga de Isabel

7. ¿Por qué quiere trabajar Isabel para esta empresa?

   a. por el sueldo   b. porque es una buena empresa   c. por el horario

8. ¿Qué le pregunta Isabel a la señora Posada?

   a. el horario   b. los beneficios   c. el sueldo

9. ¿Por qué consiguió Isabel el puesto?

   a. por ser bilingüe   b. por ser experta en informática   c. por su experiencia

¡Así lo decimos! Vocabulario

11-11 La carta de presentación. Complete the following letter with words and expressions from the word bank.

calificaciones   experiencia práctica   referencia

capaz   honrado   solicitud de empleo

currículum vitae   la saluda atentamente   vacante

estimada   recomendación

(1) _____ señora:

Le escribo esta carta para presentarme y para solicitar la (2) _____ de contador

que se anunció en *El Mundo.* Yo tengo mucha (3) _____ y mis

(4) _____ son numerosas, como usted puede ver en el (5) _____

que adjunto. He incluído tres cartas de (6) _____ y la (7) _____

que me envió su secretaria. También incluyo el nombre de mi supervisor que sirve de

(8) _____. Espero tener la oportunidad de entrevistarme con usted. Soy muy

(9) _____ y (10) _____. Esperando su respuesta a la presente.

(11) _____,

Rodrigo Rodríguez

11-12 ¿Qué haces? Tell what you do in the following situations, using complete sentences in Spanish.

MODELO: Tu jefe no te da un aumento de sueldo.
            Busco otro puesto.

1. Tienes una entrevista muy importante.

   _____

2. Recibes una mala evaluación de tu supervisor.

   _____

3. Tu jefe no te quiere ascender.

   _____

4. Tu mejor amiga recibió el puesto que tu querías.

_____

5. Recibiste una bonificación anual muy grande.

_____

6. Tu jefa despide a tu mejor amigo.

_____

7. No recibiste el aumento que esperabas.

_____

8. La empresa te va a enviar (*to send*) a un país hispano.

_____

¡Así lo hacemos! Estructuras

2. Formal commands

11-13 El jefe sargento. You have a boss who likes to give commands. Complete the orders your boss gives you by using the correct singular formal command of the verbs in parentheses.

1. No (dormir) _____ en el trabajo.

2. (Sacar) _____ la basura de mi oficina.

3. (Leer) _____ los nuevos contratos.

4. (Rellenar) _____ los formularios.

5. (Empezar) _____ a hacer su trabajo.

6. No (poner) _____ los papeles sobre la mesa.

7. No (almorzar) _____ en la cafetería.

8. (Preparar) _____ su almuerzo en casa.

9. (Firmar) _____ los documentos antes de almorzar.

10. (Escribirles) _____ las cartas comerciales a los clientes.

11. No (hablar) _____ por teléfono con sus amigos.

12. (Contratar) _____ a los nuevos empleados.

13. No (beber) _____ bebidas alcohólicas en el trabajo.

14. (Cerrar) _____ la puerta antes de salir.

15. (Llegar) _____ temprano al trabajo.

16. (Ir) _____ al banco después del almuerzo.

17. (Estar) _____ aquí a las ocho.

18. (Hablar) _____ con el jefe de personal.

19. No (salir) _____ de la oficina temprano.

20. (Seguir) _____ todas mis instrucciones.

11-14 En el laboratorio. You work in the biochemistry laboratory as an assistant, and your professor is giving you instructions about what to do. Use the **usted** command form of the verbs in parentheses.

1. (Estar) _____ a las ocho en el laboratorio.

2. (Traer) _____ el microscopio.

3. (Abrir) _____ el libro.

4. (Leer) _____ las instrucciones.

5. (Seguir) _____ las instrucciones.

6. (Mirar) _____ por el microscopio.

7. (Hacer) _____ la fórmula.

8. (Ir) _____ a la pizarra.

9. (Escribir) _____ el resultado en la pizarra.

10. (Terminar) _____ el experimento.

11. (Salir) _____ del laboratorio.

12. (Volver) _____ mañana por la mañana.

11-15 Rosalía y Felipe. Rosalía and Felipe are about to get married. Rosalía's grandfather provides the following advice to them for a successful marriage. Use the **ustedes** command form of the verbs in parentheses.

1. (Vivir) _____ el presente, pero (pensar) _____ en el futuro.

2. (Hablar) _____ de deportes, pero no (conversar) _____ de

   política.

3. (Comer) _____ poco y (dormir) _____ ocho horas todos los

   días.

4. (Trabajar) _____ mucho y (comprar) _____ poco.

5. (Discutir) _____, pero no (reñir) _____.

6. (Querer) _____ a sus suegros, pero no (vivir) _____ con ellos.

7. (Recordar) _____ y (seguir) _____ mis consejos.

11-16 Recomendaciones para una entrevista. Your friends Fernando and Jorge have opposite recommendations for your job interview. You ask them questions, and they cannot agree about the instructions they give you. Fill in the blanks, following the model.

MODELO: ¿Llevo vaqueros?
          Sí, lleve vaqueros.
          No, no lleve vaqueros.

1. ¿Me quito el sombrero?

   Sí, _____ el sombrero.

   No, no _____ el sombrero.

2. ¿Llamo a la empresa para confirmar la entrevista?

   Sí, _____ a la empresa.

   No, no _____ a la empresa.

3. ¿Llevo un currículum vitae conmigo?

   Sí, _____ un currículum vitae.

   No, no _____ un currículum vitae.

4. ¿Le doy la mano al gerente?

   Sí, _____ la mano.

   No, no _____ la mano.

5. ¿Muestro mis cartas de recomendación?

   Sí, _____ las cartas.

   No, no _____ las cartas.

6. ¿Relleno el formulario antes de ir?

   Sí, _____ el formulario.

   No, no _____ el formulario.

7. ¿Pregunto el sueldo?

   Sí, _____ el sueldo.

   No, no _____ el sueldo.

8. ¿Hablo con confianza?

   Sí, _____ con confianza.

   No, no _____ con confianza.

3. The subjunctive and the indicative with adverbial conjunctions

11-17 Una jefa exigente. You and your friends work as interns at a computer firm, and you have a demanding supervisor. Complete what she says with the correct form of the verbs in parentheses.

1. Guillermo, encienda la computadora antes de que nosotros (empezar) _____

   a trabajar.

2. Pedro Arturo, ponga los datos en la hoja electrónica a fin de que la compañía (tener)

   _____ la información.

3. Amalia y Zenaida, calculen las cuentas a menos de que el gerente les (decir)

   _____ que no.

4. Martín y Catalina, impriman bien los números en caso de que ustedes los (necesitar)

   _____.

5. Ramón y tú, lean bien las instrucciones para que no (haber) _____ errores.

6. No hagas nada sin que yo lo (saber) _____.

7. Ustedes, no comiencen el trabajo a menos que yo (buscar) _____ la

   información.

8. Yo los voy a ayudar con tal que todos ustedes (querer) _____ aprender.

11-18 La rutina del trabajo. Using the conjunctions in parentheses, combine each pair of statements to discover the routine that Miguel follows at work and how he feels about it. Use the present indicative, present subjunctive, or infinitive. Follow the model.

MODELO: Miguel va a ir al banco. Sale del trabajo. (después de)
Miguel va a ir al banco después de que salga del trabajo.

1. Normalmente, él llega a la oficina. Su jefe todavía no está. (cuando)

   _____

2. Él va a hablar con el gerente. Llega a la oficina. (tan pronto como)

   _____

3. Él va a firmar los cheques. Va al banco. (antes de)

   _____

4. Él entrevista a los candidatos. La empresa tiene los mejores empleados. (para que)

   _____

5. Miguel va a ascender. La supervisora se jubila. (en cuanto)

   _____

6. Miguel trabaja horas extra. Puede ir de vacaciones. (a fin de que)

   _____

7. Él no se quiere ir de la empresa. Lo contratan en otra empresa. (sin que)

   _____

8. Él va a trabajar. Él tiene sesenta y cinco años. (hasta que)

   _____

9. No va a contratar a nadie. Un empleado renuncia. (a menos que)

   _____

10. Miguel está contento en la empresa. Le aumentan el sueldo todos los años. (con tal que)

   _____

11-19 La contratación de personal. Who does the hiring in the office? Rewrite each statement by changing the first verb to the future and making any other necessary changes.

MODELO: Hablé con él cuando pude.
            Voy a hablar con él cuando pueda.

1. Yo entrevisté a los candidatos mientras ella revisó los expedientes.

   Yo _____ a los candidatos mientras ella _____ los

   expedientes.

2. Establecimos las cualificaciones necesarias hasta que el jefe llegó.

   _____ las cualificaciones necesarias hasta que el jefe _____.

3. El jefe nos ayudó cuando tuvo tiempo.

   El jefe nos _____ cuando _____ tiempo.

4. Contratamos a dos personas aunque el jefe no quiso.

   _____ a dos personas aunque el jefe no _____.

5. Les hablamos del plan de retiro luego que empezaron a trabajar.

   Les _____ del plan de retiro luego que _____ a trabajar.

6. Les dimos un aumento de sueldo tan pronto como mostraron su potencial.

   Les _____ un aumento de sueldo tan pronto como _____ su

   potencial.

Nombre: _____ Fecha: _____

11-20 ¡A completar! Complete the following statements with the subjunctive or infinitive form of the verbs in parentheses.

1. Voy a mandar una solicitud para (conseguir) _____ empleo.

2. Voy a ir a la entrevista a menos que no (sentirse) _____ bien.

3. Mis amigos dicen que hable con confianza para que ellos me (contratar)

   _____.

4. La empresa despidió a dos trabajadores después de (evaluar) _____ su

   trabajo.

5. Aunque yo (estar) _____ nerviosa, voy a conseguir el puesto de trabajo.

6. Voy a empezar a trabajar tan pronto como (recibir) _____ la confirmación

   de la empresa.

7. Voy a esperar su respuesta hasta que yo (encontrar) _____ nuevos avisos de

   empleo en los anuncios clasificados.

8. Voy a mandar mi currículum vitae en cuanto el gerente de la empresa lo (pedir)

   _____.

9. Voy a conseguir experiencia práctica mientras (trabajar) _____ en esta

   empresa.

10. Voy a jubilarme después de (trabajar) _____ muchos años en el trabajo de

    mis sueños.

11-21 Mis ideales. Complete the following paragraph, using the correct form of the verbs in parentheses.

Yo (1. ser) _____ un/a idealista y mi plan (2. ser) _____ el de

encontrar mi trabajo ideal tan pronto como (3. ser) _____ posible. Primero, voy

a llamar a muchas empresas para que nadie me (4. quitar) _____ la oportunidad

cuando (5. haber) _____ vacantes. Luego, voy a mandar mi currículum vitae a

todas las grandes empresas, a menos que éstas no (6. contratar) _____ a nuevos

empleados. Después de que mi plan (7. tener) _____ éxito, voy a tratar que la empresa me (8. ofrecer) _____ desarrollo profesional. Voy a trabajar siempre

para (9. aprender) _____ y (10. poder) _____ tener éxito en mi

profesión.

Nuestro mundo

Panoramas

11-22 ¡A informarse! Based on the information from **Nuestro mundo** on pages 386–387 of your textbook, decide if the following statements are **cierto (C)** or **falso (F).**

1. El tango es un baile popular de la Argentina.

2. El tango se originó en la Patagonia.

3. En la Argentina no se puede esquiar.

4. Bariloche es una famosa playa argentina.

5. El Aconcagua es el punto más alto de los Andes.

6. La Argentina y el Uruguay son países conocidos por la pesca.

7. Los argentinos consumen más carne que cualquier otro país del mundo.

8. El gaucho vive en las pampas de la Argentina y del Uruguay.

9. Punta del Este es famoso por sus playas.

10. El béisbol es más popular que el fútbol en la Argentina y el Uruguay.

11-23 Tu propia experiencia. Use the Internet, library resources, documentaries, and movies to find out about Evita Perón. Write a paragraph explaining who she was and her importance in Argentinean history. Then compare her to a public figure that you have knowledge of who may have played a similar role in history.

_____

_____

_____

_____

_____

_____

Taller

11-24 Las carreras

Primera fase. Make a list, in Spanish, of the expectations that you have about your career or profession. (The two columns on the right will be used for the **Tercera fase.**)

	YO	ESTUDIANTE	ESTUDIANTE
TIPO DE CARRERA QUE BUSCAS			
TRES (TIPOS DE) COMPAÑÍAS QUE TE INTERESAN			
UNA ALTERNATIVA (POR EJ., AUTO EMPLEO)			
AMBIENTE (*ENVIRONMENT*) DE TRABAJO QUE ESPERAS (POR EJ., OFICINA GRANDE)			
SUELDO QUE QUIERES PARA EMPEZAR			
SUELDO DESPUÉS DE DIEZ AÑOS			
BENEFICIOS QUE QUIERES (POR EJ., MÉDICO)			
ELEMENTOS ABSOLUTAMENTE NECESARIOS			
ELEMENTOS PREFERIBLES			
ELEMENTOS NO ACEPTABLES			
¿...?			

Segunda fase. Now imagine that you are working with an employment agency that will conduct interviews with college students to build candidate profiles. Based on the categories in the **Primera fase,** write eight questions you might use in the interviews.

MODELO: *¿Para qué profesión te preparas?*

1. _____

2. _____

3. _____

4. _____

5. _____

6. _____

7. _____

8. _____

Tercera fase. Now interview two classmates, using the questions you wrote in the **Segunda fase.** Then fill in the information about your classmates in the chart from the **Primera fase.**

11-25 Acuerdos

Primera fase. The establishment of trade agreements, such as NAFTA, is changing the nature of international business. Several agreements have been established in the Spanish-speaking countries, as well. Use the Internet or library resources to look up information on **Mercosur** and on one of the following groups. Then complete the chart with the information that you gathered.

ALADI   MCCA

CARICOM   Pacto Andino

	MERCOSUR	
PAÍSES EN EL ACUERDO		
FECHA DEL ACUERDO INICIAL		
ELEMENTOS BÁSICOS DEL ACUERDO		
VENTAJAS		
DESVENTAJAS		
¿...?		

Segunda fase. How are the two agreements you researched similar? How are they different? How do they compare to NAFTA? Write at least four comparisons (two similarities, two differences), answering these questions in Spanish.

1. _____

   _____

2. _____

   _____

3. _____

   _____

4. _____

   _____

11-26 El gaucho: Un oficio temprano. The gaucho is an Argentine tradition that has inspired many poets, artists, and historians. Read the following passage about the origin of the gaucho. Then answer the questions.

Los conquistadores españoles trajeron millares de animales domésticos al Nuevo Mundo. Hacia el año 1650, muchos de estos animales escaparon del control de las ciudades coloniales. Se escaparon al desierto, o sea el territorio salvaje, habitado por los grupos aborígenes prehispánicos.

Muchas personas urbanas tenían grandes intereses económicos en esas vacas y caballos del desierto, por el precio de su cuero (*hide*). Pero, ¿quién podía atraparlos y sacarles el cuero en medio del territorio aborigen?

De allí nació una tradición argentina—el gaucho. Los gauchos eran de origen diverso: criollos, portugueses, mestizos y negros. Salían al desierto en busca del cuero de las bestias en grupos de aproximadamente diez gauchos. Un buen flete (caballo), un recado o una montura (*saddle*) y un avío (provisiones) le eran indispensables al gaucho para sobrevivir en las pampas.

Estas expediciones se llamaban vaquerías. En el siglo XVII, se convirtieron en un sólido ingreso económico para las colonias, cuando los cueros se empezaron a exportar a Europa. El negocio de la exportación de cueros creció de una manera asombrosa: En 1605, se exportaron 50 cueros; en 1625, se exportaron 27.000 y en 1670, 380.000.

El primer eslabón de esta cadena comercial eran los gauchos. Los jinetes (*riders*) del desierto perseguían los animales dentro de las tierras de los aborígenes. Atrapaban los animales y rápido se bajaban de su flete para apoderarse del cuero, desechando el resto del animal.

El rasgo que los distinguía como grupo era su habilidad de jinetes y el cuidado y respeto que sentían por sus caballos. Estas destrezas y actitudes nacieron con las primeras vaquerías, pero aún podemos verlas en la actualidad.

1. ¿Qué situación dio paso a (*gave way to*) la profesión del gaucho?

   _____

2. ¿Qué llevaba siempre el gaucho en sus expediciones?

   _____

3. En tu opinión, ¿quién se beneficiaba más del trabajo del gaucho?

   _____

4. ¿Qué aspectos del trabajo del gaucho serían muy criticados hoy en día?

   _____

5. ¿Con qué tradición estadounidense podemos comparar la de los gauchos y las vaquerías?
   Explica algunas semejanzas y diferencias.

   _____

   _____

11-27 Más allá de las páginas. Marco Denevi's story has an open ending. Taking into consideration the social and humanistic view of the author, finish the story in your own words.

_____

_____

_____

_____

_____

_____

¿Cuánto sabes tú?

11-28 ¿Sabes usar el presente de subjuntivo con expresiones impersonales? Fill in the blanks with the appropriate present subjunctive form of the verbs in parentheses.

1. En el trabajo, es importante que el sueldo (ser) _____ bueno.

2. En el trabajo, es necesario que (haber) _____ buen ambiente.

3. En el trabajo, es indispensable que (tú) (tener) _____ vacaciones.

4. En el trabajo, es preciso que la empresa (ofrecer) _____ buenos beneficios.

5. En el trabajo, es malo que los empleados (estar) _____ descontentos.

6. En el trabajo, es mejor (trabajar) _____ en una gran empresa.

11-29 ¿Sabes usar los mandatos formales? Imagine that you are a supervisor, and you have to give commands to your employees. Fill in the blanks with the appropriate formal command of the verbs in parentheses.

1. Ustedes, no (llegar) _____ tarde al trabajo.

2. Ricardo, (hablar) _____ con el gerente.

3. Rogelio, (ser) _____ responsable.

4. Ángeles y Carlos, (asistir) _____ a las sesiones de entrenamiento.

5. María, (rellenar) _____ el formulario.

6. Ustedes, (pedir) _____ ayuda.

11-30 ¿Sabes usar el presente de subjuntivo con conjunciones adverbiales? Complete the following paragraph with the present indicative, present subjunctive, or infinitive form of the verbs in parentheses.

Mi jefe es el mejor jefe del mundo. No le importa a qué hora voy al trabajo con tal que (yo)

(1. hacer) _____ mi trabajo. Cuando (yo) (2. llegar) _____ al

trabajo, siempre habla conmigo amablemente. Me dice todo lo que tengo que hacer para que (yo)

(3. tener) _____ tiempo de hacerlo. Siempre me ayuda y me corrige antes de que

(yo) (4. cometer) _____ algún error. Antes de (5. ir) _____ a

comer, siempre lo aviso (*let him know*), en caso de que (él) (6. necesitar) _____

mi ayuda en algún otro proyecto urgente. De vez en cuando, él me aumenta el sueldo para que

(yo) (7. estar) _____ contento. Es imposible (8. tener) _____ un

jefe mejor que el mío.

Lab Manual

Primera parte

¡Así es la vida!

11-31 Una entrevista. As you listen to the following telephone conversation, select the letters for all statements that are correct, according to what you hear. Listen to the conversation as many times as is necessary to find all the correct answers.

1. Jorge...

   a. leyó el anuncio en una revista.

   b. oyó el anuncio por la radio.

   c. vio el anuncio en el periódico.

2. La empresa "Buen Trabajo" publicó...

   a. un solo aviso.

   b. más de un aviso.

   c. tres avisos.

3. Jorge quiere...

   a. un trabajo de secretario.

   b. un trabajo en la construcción.

   c. un trabajo de arquitecto.

4. Jorge es...

   a. contador.

   b. carpintero.

   c. electricista.

5. La dirección de Jorge es...

   a. Valencia 305, tercero, primera.

   b. Valencia 205, tercero, segunda.

   c. Valencia 305, tercero, primero.

6. El horario disponible de Jorge es...

   a. por la tarde.

   b. de 8:30 a 14:00.

   c. por la mañana hasta las doce.

7. La meta de Jorge es...

   a. ser coordinador.

   b. ser jefe de personal.

   c. ser supervisor.

8. Jorge...

   a. quiere ganar 15 euros por hora.

   b. prefiere un sueldo fijo.

   c. está sin trabajo.

9. El jefe de personal...

    a. va a llamar a Jorge.

    b. va a entrevistar a Jorge.

    c. va a darle el puesto de supervisor a Jorge.

¡Así lo decimos! Vocabulario

11-32 ¿A qué profesión corresponde? Listen to the following sentences and choose the letter corresponding to the word or expression that best completes each sentence. Then listen and repeat as the speaker gives the correct answer.

1. a. arquitecto

    b. dentista

    c. peluquero

2. a. analista de sistemas

    b. electricista

    c. cocinera

3. a. plomero

    b. peluquero

    c. viajante

4. a. peluquera

    b. carpintera

    c. secretario

5. a. veterinario

    b. psicólogo

    c. mecánico

6. a. psicóloga

    b. periodista

    c. bombera

7. a. diseñar casas

    b. repartir las cartas y los paquetes

    c. apagar fuegos

8. a. supervisor

    b. electricista

    c. plomero

Nombre: _____   Fecha: _____

¡Así lo hacemos! Estructuras

1. The subjunctive with impersonal expressions

11-33 ¿Cierto o incierto? Listen to the following sentences, and indicate whether they express certainty or uncertainty by placing a check mark in the appropriate column.

	CERTAINTY	UNCERTAINTY
1.		
2.		
3.		
4.		
5.		
6.		

11-34 Responsabilidades del empleado. Form sentences using the cues provided. Then listen and repeat as the speaker gives the correct answer.

MODELO: You see: es importante / el director / saber / la verdad
You say: *Es importante que el director sepa la verdad.*
           or
You see: es mejor / hablar / el despacho
You say: *Es mejor hablar en el despacho.*

1. es bueno / los empleados / pedir / los puestos

2. es imposible / el bombero / apagar / todo / los fuegos

3. es dudoso / la secretaria / recibir / la carta

4. no es fácil / leer / las evaluaciones

5. es necesario / la arquitecta / diseñar / la casa / ahora

11-35 ¿Un buen puesto? Answer the following questions using the cues provided. Then listen and repeat as the speaker gives the correct answer.

MODELO: You hear: ¿Qué es necesario?
You see: usted / recibir / mucho entrenamiento
You say: *Es necesario que usted reciba mucho entrenamiento.*

1. (tú) / no / comer / durante la entrevista

2. ustedes / tener / metas claras

3. (nosotros) / cambiar / el horario de trabajo

4. haber / buenas relaciones entre los empleados y los directores

SEGUNDA PARTE

¡Así es la vida!

11-36 Una oferta. As you listen to the following conversation, select the letters for all statements that are correct, according to what you hear. Listen to the conversation as many times as is necessary to find all the correct answers.

1. Carlos Rodríguez...

   a. fue estudiante.

   b. es estudiante.

   c. busca trabajo.

2. La señora Peña...

   a. trabaja en una empresa internacional.

   b. quiere contratar al señor Rodríguez.

   c. entrevista a Carlos.

3. El señor Rodríguez...

   a. no tiene experiencia práctica.

   b. tiene experiencia práctica.

   c. tiene experiencia trabajando en la universidad.

4. El puesto...

   a. es por dos años.

   b. es ofrecido a Carlos.

   c. es aceptado por Carlos.

5. El puesto incluye beneficios de...

   a. plan de retiro para toda la familia.

   b. bonificaciones anuales.

   c. seguro médico.

6. La empresa...

   a. hace una evaluación de los empleados cada dos meses.

   b. decide los aumentos cada seis meses.

   c. asciende a todos sus empleados tres veces al año.

¡Así lo decimos! Vocabulario

11-37 ¿Cuál es la mejor respuesta? Listen to the following sentences and choose the letter corresponding to the word or expression that best completes each sentence. Then listen and repeat as the speaker gives the correct answer.

1. a. la despedida de una carta comercial

   b. el saludo de una carta comercial

   c. el título de una empresa popular

2. a. trabaja poco

   b. trabaja mucho

   c. es entusiasta y capaz

3. a. un expediente

   b. una solicitud de empleo

   c. una carta de recomendación

4. a. la renuncia

   b. el seguro

   c. el puesto

5. a. solicitud

   b. agencia

   c. aspirante

6. a. la vacante

   b. la evaluación

   c. la solicitud

7. a. ascender

   b. aumentar

   c. renunciar

¡Así lo hacemos! Estructuras

2. Formal commands

11-38 ¡Bienvenida a nuestra empresa! Use formal commands and the cues provided to give advice to a new employee. Then listen and repeat as the speaker gives the correct answer.

MODELO: You see: no / dormir / en la oficina
You say: *No duerma en la oficina.*

1. llegar / temprano

2. ser / simpático con el director

3. ir / a la oficina de la secretaria para hablar del plan de retiro

4. hacer / todo el trabajo a tiempo

5. rellenar / los papeles correctamente

6. seguir / el horario indicado en el calendario

11-39 En mi primer día de trabajo. Answer the questions that you hear with formal commands using the cues provided. Use pronouns in the proper position when possible. Then listen and repeat as the speaker gives the correct answer. Check the spelling of the verbs in the Answer Key.

MODELO: You hear: ¿Traigo el contrato?
            You see: Sí / traer
            You say: *Sí, tráigalo.*

1. no / comenzar / con estos expedientes

2. buscar / los nombres de los planes de seguro médico

3. no / venir / a las ocho

4. sí / pedir

5. no / poner / en el despacho del director

6. sí / almorzar / con nosotros

7. sí / leer

8. no / salir / a las 5:00

11-40 Las entrevistas. Respond to each statement or question that you hear with the formal commands for **ustedes** using the cues provided. Fill in any necessary words to complete the sentences. Then listen and repeat as the speaker gives the correct answer.

MODELO: You hear: No sabemos el horario de trabajo.
            You see: preguntar / durante / la entrevista
            You say: *Pregunten durante la entrevista.*

1. levantarse / 7:00 / mañana

2. vestirse / muy bien

3. hacer / muchas preguntas

4. no / preguntar / hasta / la entrevista final

5. escribir / carta dándoles las gracias por la entrevista

3. The subjunctive and the indicative with adverbial conjunctions

11-41 ¡Siempre hay condiciones! Form sentences for each statement that you hear using the cues provided. Then listen and repeat as the speaker gives the correct answer.

MODELO: You hear: Vamos a trabajar para esta empresa.
You see: con tal de que / nos / ofrecer / un plan de retiro
You say: *Vamos a trabajar para esta empresa con tal de que nos ofrezcan un plan de retiro.*

1. a menos que / la compañía / pagar / muy poco

2. porque / ser / los mejores empleados

3. para que / poder / estudiar por la mañana

4. tan pronto como / terminar / las cartas

5. cuando / empezar / la reunión

6. antes de que / llenar / la solicitud

7. aunque / hoy / ser / sábado

11-42 ¿Cuándo? Answer the questions that you hear, based on the cues provided. Include direct object pronouns in your answers when possible. Then listen and repeat as the speaker gives the correct answer.

MODELO: You hear: ¿Cuándo ascienden a los empleados?
You see: ascender / luego que / les / dar / una evaluación positiva
You say: *Los ascienden luego que les den una evaluación positiva.*

1. ir a apagar / cuando / llegar

2. reparar / cuando / tener / problemas

3. ir a ver / si hay / antes de que / llenar / la solicitud

4. llevar / cuando / estar / enfermo

5. no deber dejar / sin que / encontrar / otro trabajo

6. ir a estar / en cuanto / empezar / el año fiscal

7. querer jubilarse / hasta que / tener / 62 años

11-43 ¿Cierto o incierto? Listen to the following sentences, and indicate whether the speaker is conveying certainty or uncertainty by placing a check mark in the appropriate column.

	CERTAINTY	UNCERTAINTY
1.		
2.		
3.		
4.		
5.		
6.		

¿Cuánto sabes tú?

11-44 Puestos y beneficios. Complete the following chart as you listen to the descriptions of people and their jobs.

NOMBRE	TRABAJA A COMISIÓN	SUELDO FIJO	PLAN DE RETIRO	SEGURO MÉDICO	BONIFICACIÓN ANUAL
ESTEBAN					
LEONARDO					
CARLOS					
SUSANA					

11-45 Preguntas personales. Write an appropriate response to the questions or statements that you hear. Because answers will vary, compare your answers to the answers that are provided. Then read your response to practice communication and pronunciation.

1. _____

2. _____

3. _____

4. _____

5. _____

6. _____

7. _____

8. _____

12   El futuro es tuyo

Workbook

PRIMERA PARTE

¡Así es la vida!

12-1 El impacto de la tecnología. Reread the discussion in **¡Así es la vida!** on page 398 of your textbook and answer the following questions.

1. ¿Quién es Lorenzo Valdespino?

   a. profesor de tecnología   b. estudiante de ingeniería   c. analista de sistemas

2. ¿Por qué no podría trabajar él sin la computadora?

   a. porque no sabe   b. por su trabajo   c. por sus estudios

3. ¿Qué usa Lorenzo en casa?

   a. la Red informática   b. el correo electrónico   c. una impresora láser

4. ¿Cómo revolucionó la tecnología el trabajo en la oficina de Hortensia?

   a. mejoró la comunicación   b. les dio más trabajo   c. cambiaron de oficina

5. ¿Qué usan para enviar un mensaje urgente?

   a. un procesador de textos   b. el correo electrónico   c. la videoconferencia

6. ¿Qué tecnología permite a Hortensia comunicarse en persona?

   a. el fax   b. el correo electrónico   c. la videoconferencia

7. Según Hortensia, ¿qué les permite la tecnología?

   a. ahorrar tiempo y recursos   b. ganar más dinero   c. tener más vacaciones

8. ¿Quién es Adolfo Martínez Suárez?

   a. abogado   b. ingeniero   c. agricultor

9. ¿Para qué usa él un programa de computadora?

   a. para sembrar   b. para analizar el suelo   c. para regar

10. ¿Qué ha revolucionado la producción agrícola?

   a. el clima   b. la ingeniería biotécnica   c. los medios de comunicación

¡Así lo decimos! Vocabulario

12-2 Palabras relacionadas. Match each of the following verbs with the most logical noun.

_____ 1. sembrar   a. el contestador automático

_____ 2. fotocopiar   b. la videograbadora

_____ 3. grabar   c. la computadora

_____ 4. programar   d. la pantalla

_____ 5. encender   e. la impresora

_____ 6. transmitir   f. los cultivos

_____ 7. llamar   g. la fotocopiadora

_____ 8. imprimir   h. el fax

12-3 ¡A completar! Complete the following statements with words or expressions from the word bank.

antena parabólica	grabar	lector de DVD	procesador de textos
cajero automático	hacer a mano	maquinaria	Red informática
contestador automático	hoja electrónica	pantalla	teléfono inalámbrico
finca	imprimir		

1. El banco está cerrado, pero puedo usar el _____ para sacar dinero.

2. Hoy no es necesario esperar las llamadas telefónicas, porque el _____ puede _____ todos los mensajes.

3. Yo acabo de comprar un _____ y me gusta mucho. Puedo hablar con mis amigos desde el jardín.

4. A mi esposo le gusta mucho la _____, porque puede ver muchos partidos que no se transmiten por los canales.

5. La _____ nos permite conectarnos con todo el mundo.

6. Para escribir mis trabajos universitarios, tengo que usar un_____.

7. A mí me gusta mucho el _____, porque ahora ya no es necesario ir al cine para ver una película.

8. Mi amigo es agricultor. Trabaja en la _____ de su padre.

9. Con la imporesora, podemos _____ documentos.

10. No lo pude ver en la _____ de mi microcomputadora.

12-4 La computadora y sus accesorios. Identify each numbered item in the following picture. Then write sentences, using the words for the items you identified.

1. _____

_____

2. _____

_____

3. _____

_____

4. _____

_____

5. _____

_____

6. _____

_____

12-5 El altar de la tecnología. Read the following advertisement. Then answer the questions with complete sentences in Spanish.

1. ¿Qué equipos electrónicos se venden?

   a. computadoras   b. televisores   c. estéreos

2. ¿Qué se puede hacer por 500 dólares?

   a. montar un altar multimedia

   b. comprar un Pentium III

   c. convertir la computadora con Pentium MMX

3. ¿Cómo se puede recibir un regalo?

   a. gastando 500 dólares   c. llamando por teléfono

   b. visitando la estación Multimedia

4. Además de un regalo, ¿qué otras cosa ofrece la tienda?

   a. descuentos   b. garantía de tres años   c. servicio de reparación a domicilio

5. ¿Cómo se llama la tienda?

   a. Pentium III   b. Altar de la tecnología   c. HP, Epson

¡Así lo hacemos! Estructuras

1. The past participle and the present perfect indicative

12-6 ¿Qué han hecho estas personas? Write an affirmative answer that might be given as a response to the following questions. Use object pronouns to avoid repetition, when necessary.

MODELO: ¿Has apagado la computadora?
Sí, la he apagado.

1. ¿Has fotocopiado la carta?

   Sí, _____.

2. ¿Han instalado la antena parabólica?

   Sí, _____.

3. ¿Ha calculado las cuentas el contador?

   Sí, _____.

4. ¿Has archivado los documentos?

   Sí, _____.

5. ¿Han sembrado ustedes tomates este año?

   Sí, _____.

12-7 Hay muchas cosas que hacer. Tell what the following people have already done today. Use the subjects and the present perfect of the verbs in the cues provided, and answer in complete sentences.

MODELO: Francisco / conectarse / a la Red informática
Francisco se ha conectado a la Red informácia.

1. nosotros / archivar / los documentos en el disquete

_____

2. Fernando / programar / la computadora

_____

3. yo / borrar / los archivos del disco duro

_____

4. Felipe / imprimir / los documentos

_____

5. mis amigos / ir / al despacho

_____

6. yo / escuchar / los mensajes del contestador automático

_____

7. ¿tú / encender / la impresora?

_____

8. nosotros / comprar / el teléfono móvil

_____

12-8 En la empresa. Your boss is telling you the things that need to be done. Respond in complete sentences, following the model.

MODELO: Tiene que enviarle un correo electrónico al programador de computadoras.
Se lo he enviado. Ya está enviado.

1. Tiene que darle el disquete a la señorita Muñoz.

_____

2. Tiene que guardar el documento en la base de datos.

_____

3. Tiene que instalar el nuevo programa de contabilidad (*accounting*) al contador.

   _____

4. Tiene que pedirme un ratón nuevo para mi computadora.

   _____

5. Tiene que hacer una búsqueda en la Red informática para el señor Ortiz.

   _____

12-9 ¡Hecho! Complete the following sentences with the past participle of the verbs in parentheses. Make agreement changes, when necessary.

   1. La impresora está (romper) _____.

   2. El cajero automático está (abrir) _____.

   3. El diseño de la página electrónica está (hacer) _____.

   4. Los correos electrónicos están (escribir) _____.

   5. El archivo está (poner) _____ en el disco duro.

   6. El disquete está (llenar) _____.

   7. El fax está (enviar) _____.

   8. La videograbadora está (programar) _____.

   9. José Luis no sabe nada de informática; está (perder) _____.

   10. La hoja electrónica está en blanco; no hay nada (escribir) _____.

2. The future and the future of probability

12-10 En el centro de cómputo. You are the director of the computer center at your institution. Here is what everyone is going to do. Fill in the blanks in the following sentences, using the future tense. Follow the model.

MODELO: Gregorio va a usar el escáner.
Gregorio usará el escáner.

1. Rosalía va a hacer los diseños en la computadora.

   Rosalía _____ los diseños en la computadora.

2. Manuel Antonio va a imprimir las cartas.

   Manuel Antonio _____ las cartas.

3. José y Alejandro van a instalar el disco duro.

   José y Alejandro _____ el disco duro.

4. Tú vas a poner la información en la hoja electrónica.

   Tú _____ la información el la hoja electrónica.

5. Luisa y yo vamos a mirar la pantalla.

   Luisa y yo _____ la pantalla.

6. Todos nosotros vamos a leer los mensajes en el correo electrónico.

   Todos nosotros _____ los mensajes en el correo electrónico.

7. Francisco y Emilio van a venir a ver el procesador de textos.

   Francisco y Emilio _____ a ver el procesador de textos.

8. Nuestros asistentes les van a dar las instrucciones.

   Nuestros asistentes les _____ las instrucciones.

9. Carmen y su hermana van a archivar todo.

   Carmen y su hermana _____ todo.

12-11 En la oficina. Imagine that you work at an office. Tell what type of work each person is going to do, using the correct form of the future tense of the verbs in parentheses.

1. Joaquín (escribir) _____ cartas en el procesador de textos.

2. Ramiro y Arturo (poner) _____ las cuentas en la hoja electrónica.

3. Ella le (decir) _____ a la supervisora si hay mensajes de correo electrónico.

4. María Amalia (leer) _____ un fax.

5. Juan y tú (sacar) _____ copias en la fotocopiadora.

6. Yo (usar) _____ el escáner.

7. Ustedes (buscar) _____ la información en la Red informática.

8. La directora (comunicarse) _____ con los clientes por teléfono móvil.

9. Enrique y yo (ver) _____ los diseños en la pantalla.

10. Todos nosotros (preparar) _____ los trabajos en la computadora.

12-12 Mi amiga y yo. Change the present tense forms of the verbs in parentheses to the future tense to read about two friends and their plans for the future.

Mi amiga Gertrudis y yo (1. asistimos) _____ a la universidad. Gertrudis

(2. toma) _____ cursos de informática. Yo solamente

(3. tomo) _____ clases de lenguas extranjeras. Ella

(4. aprende) _____ a hacer diseños en la computadora. Yo sólo

(5. quiero) _____ aprender a usar la Red informática. Gertrudis y sus otras

amigas (6. van) _____ a las clases por la mañana. Yo

(7. tengo) _____ que ir por la noche. (8. Nos divertimos) _____

mucho en la universidad. ¿Qué (9. estudias) _____ tú en la universidad?

12-13 La nueva jefa. Imagine that the new boss is a very demanding person. Here is what she expects everyone to do by a certain time. Use the future form of the verbs in parentheses.

1. Todos nosotros (llegar) _____ al trabajo a las ocho de la mañana.

2. La programadora (hacer) _____ los diseños a las nueve.

3. Tú (traer) _____ las hojas electrónicas a las diez.

4. Ella (llamar) _____ a los clientes antes de las diez y media.

5. Ustedes (poner) _____ el informe sobre el escritorio a las once.

6. La secretaria (imprimir) _____ las cartas a las doce.

7. Los supervisores (tener) _____ la información a las doce y media.

8. Todos los empleados (almorzar) _____ antes de la una.

9. Tú (tener) _____ la lista de clientes en la pantalla a las tres.

10. Todos los empleados (salir) _____ del trabajo antes de las cinco.

12-14 Conjeturas. Imagine that you and your friends are going to have a new boss at the office. Answer the following questions, using the future of probability. Be creative.

1. ¿Quién será el nuevo jefe?

_____

2. ¿Cómo será él/ella?

_____

3. ¿De dónde vendrá?

_____

4. ¿Qué planes tendrá?

_____

5. ¿Qué hará con los empleados?

_____

Segunda parte

¡Así es la vida!

12-15 Hablan los jóvenes. Reread the opinions of the people in **¡Así es la vida!** on page 415 of your textbook, and indicate whether the following sentences are **cierto (C)** or **falso (F).**

C   F   1. A los jóvenes de Hispanoamérica no les importa el medio ambiente.

C   F   2. No hay mucha industria en estos países.

C   F   3. Los gobiernos de estos países se han preocupado mucho por proteger los recursos naturales.

Liliana Haya Sandoval

C   F   4. La contaminación del aire no es un problema en la Ciudad de México.

C   F   5. Los carros y los camiones producen mucha contaminación.

C   F   6. Respirar el aire de la Ciudad de México no causa problemas.

C   F   7. El gobierno no toma las medidas necesarias para resolver el problema de la contaminación.

María Isabel Cifuentes Betancourt

C   F   8. El problema de las enfermedades epidémicas no existe en América del Sur.

C   F   9. La contaminación del agua causa el cólera.

C   F   10. No hay organizaciones internacionales ayudando a combatir este problema.

Fernanda Sánchez Bustamante

C   F   11. Un problema importante en Costa Rica es la pérdida de los árboles.

C   F   12. Hoy el 50% del país está cubierto de bosques tropicales.

C   F   13. La producción de oxígeno depende de la región tropical.

¡Así lo decimos! Vocabulario

12-16 ¡A escribir! Write a complete sentence that shows the meaning of each of the following vocabulary words from the word bank.

atmósfera	desecho	escasez	lluvia ácida
contaminación	energía	fábrica	medio ambiente

1. _____

2. _____

3. _____

4. _____

5. _____

6. _____

7. _____

8. _____

12-17 ¡A completar! Fill in the blanks to complete each of the following statements with a word or expression from the word bank.

conservar	consumir	dispuestos	escasez	medida	multa
naturaleza	radioactividad	reciclaje	reciclar	reforestación	

1. En vez de arrojar todos los desechos, hay que organizar un programa de

   _____.

2. Si una fábrica no obedece bien las leyes contra la contaminación, hay que ponerle una

   _____.

3. El agua, el aire y las selvas forman parte de la _____.

4. Si hay muy poco de alguna cosa, se dice que hay _____ de esa cosa.

5. Según muchos, la gente de los EE.UU. tiene que aprender a _____ menos y

   a _____ más.

6. Si la deforestación es un problema, hay que empezar un programa de _____.

7. Si se escapa la _____ de una planta nuclear, puede contaminar el aire.

8. Para _____ más, la ciudad de Seattle decidió empezar un programa enorme de reciclaje.

9. Los miembros del comité están _____ a escuchar nuevas soluciones.

10. La _____ para controlar la deforestación es multar a las organizaciones que destruyan los bosques.

12-18 Cuestionario. What are your thoughts about the environment and how it can be improved? Answer the following questions with complete sentences in Spanish.

1. ¿Cuál es el problema más grave que afecta al medio ambiente?

_____

2. ¿Qué soluciones puedes ofrecer?

_____

3. ¿Cómo se pueden proteger los bosques y las selvas tropicales?

_____

4. ¿Qué prefieres, desarrollar la energía solar o continuar con las plantas nucleares? ¿Por qué?

_____

5. ¿En qué circunstancias se debe poner una multa a una industria?

_____

¡Así lo hacemos! Estructuras

3. The conditional and the conditional of probability

12-19 Las promesas del gobierno. Find out what the government promised they would do in the new millenium by writing the conditional form of the verbs in parentheses.

1. El gobierno prometió que (estudiar) _____ los efectos de la lluvia ácida.

2. El gobierno prometió que (controlar) _____ la emisión de humo de los carros.

3. El gobierno prometió que (haber) _____ más medidas contra la contaminación del aire.

4. El gobierno prometió que (multar) _____ a las industrias contaminantes.

5. El gobierno prometió que (proteger) _____ las especies animales en peligro de extinción.

6. El gobierno prometió que (establecer) _____ programas de reciclaje.

7. El gobierno prometió que (plantar) _____ más árboles en los parques.

8. El gobierno prometió que (poner) _____ más basureros en las ciudades.

9. El gobierno prometió que (empezar) _____ la reforestación de los bosques.

10. El gobierno prometió que (administrar) _____ mejor los recursos naturales.

12-20 La reportera. Mariluz is a television reporter who is concerned about environmental issues. Here is her interview with Roberto, a citizen with the same concerns. Complete the following exchange with the correct conditional form of the verbs in parentheses.

Mariluz: Roberto, ¿qué (1. hacer) _____ usted para mejorar el medio ambiente en la ciudad?

Roberto: Primero, les (2. informar) _____ a los ciudadanos de los principales problemas.

Mariluz: ¿De qué problemas (3. hablar) _____ ?

Roberto: Les (4. explicar) _____ el problema de la deforestación y la contaminación del aire.

Mariluz: ¿Qué soluciones (5. buscar) _____ para estos problemas?

Roberto: (6. Promocionar) _____ un programa de reciclaje en toda la ciudad.

Mariluz: ¿Cómo (7. ser) _____ este programa?

Roberto: (8. Poner) _____ basureros para diferentes tipos de basura por toda

la ciudad.

Mariluz: ¿Qué (9. sugerir) _____ usted para solucionar la contaminación del

aire?

Roberto: Los ciudadanos (10. deber) _____ usar más el transporte público.

12-21 Una campaña. Complete the following paragraph with the correct conditional form of
the verbs in parentheses.

Roberto y Aurelio, ¿(1. querer) _____ colaborar conmigo en la campaña

"Ciudad Verde"? Nosotros (2. salir) _____ de mi casa a las ocho y

(3. llegar) _____ al parque a las ocho y media. Nosotros

(4. plantar) _____ tres árboles y (5. ayudar) _____ a mejorar el

aire de la ciudad. Roberto y yo (6. comprar) _____ los árboles y los

(7. llevar) _____ al parque. (8. Estar) _____ en el parque por

dos horas y luego todos nosotros (9. volver) _____ a casa a las once.

Nombre: _____ Fecha: _____

12-22 ¿Qué pasó? The mayor that you were about to interview for your show never arrived for the interview. What happened? Offer excuses to your viewers, using the conditional of probability.

MODELO: olvidarse de la fecha
Él se olvidaría de la fecha.

1. no saber la hora

_____

2. tener problemas con su coche

_____

3. ir a otra entrevista

_____

4. perder la dirección

_____

5. entender mal a la secretaria

_____

6. estar enfermo

_____

12-23 La lotería. Imagine that you have bought a lottery ticket. Write six things you would do with the money if you won the jackpot.

MODELO: *Compraría un carro nuevo.*

1. _____

2. _____

3. _____

4. _____

5. _____

6. _____

4. *Tú* commands

12-24 Mandatos a tu hermano. You are giving your younger brother some tips on how to protect the environment. Complete each of the following statements with the **tú** command form of the verbs in parentheses.

1. (Reciclar) _____ todo el papel.

2. (Proteger) _____ la naturaleza.

3. (Poner) _____ la basura en el basurero.

4. (Comprar) _____ productos reciclables.

5. No (arrojar) _____ basura al río.

6. (Pedirles) _____ a tus amigos que reciclen.

7. No (empeorar) _____ la contaminación del aire.

8. No (cortar) _____ árboles en el bosque.

12-25 Mandatos informáticos. You are at your new job, and a colleague is teaching you how to use the computer. Fill in the blanks by changing each infinitive in parentheses to the **tú** command form of the verb.

1. (Encender) _____ la computadora.

2. (Escribir) _____ la contraseña (*password*).

3. (Buscar) _____ el documento.

4. No (imprimir) _____ el archivo.

5. (Archivar) _____ el documento en el disco duro.

6. (Borrar) _____ el documento del disquete.

7. No (borrar) _____ el documento del disco duro.

8. (Enviarle) _____ el documento al jefe por correo electrónico.

9. (Poner) _____ una copia del documento en mi escrotorio.

10. No (apagar) _____ la computadora.

12-26 Mandatos para todos. La señora Rivera is the manager of the office staff. She likes to assign tasks to all employees to keep them busy. Rewrite each command, replacing the direct object noun with a direct object pronoun.

MODELO: Margarita, enciende las computadoras.
Enciéndelas.

1. Pepe, instala los programas. _____.

2. Juan, compra más disquetes. _____.

3. Pablo, haz las fotocopias. _____.

4. Lupe, contesta el teléfono. _____.

5. Toño, atiende a los clientes. _____.

6. Felipe, busca información en la Red informática. _____.

7. Alicia, programa la videograbadora. _____.

8. Gabriel, imprime las cuentas del mes. _____.

9. Mario, escribe el informe. _____.

10. Enriqueta, lleva las cuentas bien. _____.

NUESTRO MUNDO

Panoramas

12-27 ¡A informarse! Based on the information from **Nuestro mundo** on pages 426–427 of your textbook, decide if the following statements are **cierto (C)** or **falso (F)**.

1. Hay más de 37 millones de hispanos en los EE.UU.

2. Los EE.UU. es la quinta nación hispanohablante.

3. La televisión en los EE.UU. es sólo en inglés.

4. Los murales méxicoamericanos sirven como conexión entre el pasado y el presente.

5. Juanishi Orosco es un muralista méxicoamericano.

6. No hay representación hispana en los deportes de los EE.UU.

7. Gloria Estefan es de origen cubano.

8. Cheech Marín es conocido por su talento musical.

9. Esmeralda Santiago es una actriz puertorriqueña.

10. Ningún atleta de origen hispano ha ganado nunca una medalla para los EE.UU.

12-28 Tu propia experiencia. Think of a traditional Hispanic festivity that is celebrated in your community or of an Hispanic festivity of which you have heard. Describe the celebration, and use the Internet and library to research its origin.

_____

_____

_____

_____

_____

Taller

12-29 Mis acciones

Primera fase. You may not feel like an activist for the environment, but even the most ordinary citizen does more out of habit to protect the environment than the average citizen did twenty-five to thirty years ago. Make a list, in Spanish, of the environmentally friendly things that you do now. (The **sí** and **no** columns will be used in the **Segunda fase.**)

	SÍ	NO
_____	___	___
_____	___	___
_____	___	___
_____	___	___
_____	___	___
_____	___	___

Segunda fase. Now review each activity from the **Primera fase,** and mark whether or not someone your age would have done those things twenty-five to thirty years ago. If possible, interview someone who could tell you.

Nombre: _____ Fecha: _____

12-30 Centros de reciclaje. Environmentally friendly movements are catching on in many different parts of the world. Use your Internet search engine to look up **reciclaje.** Make a list, in Spanish, of at least five programs you find in the U.S., Canada, and Spanish-speaking countries. Include information on what the program does or is for in Spanish.

PROGRAMA: _____ PAÍS/CIUDAD: _____

PRODUCTOS/SERVICIOS: _____

_____

_____

_____

PROGRAMA: _____ PAÍS/CIUDAD: _____

PRODUCTOS/SERVICIOS: _____

_____

_____

_____

PROGRAMA: _____ PAÍS/CIUDAD: _____

PRODUCTOS/SERVICIOS: _____

_____

_____

_____

PROGRAMA: _____ PAÍS/CIUDAD: _____

PRODUCTOS/SERVICIOS: _____

_____

_____

_____

Nombre: _____ Fecha: _____

PROGRAMA: _____ PAÍS/CIUDAD: _____

PRODUCTOS/SERVICIOS: _____

_____

_____

_____

12-31 Más allá de las páginas: Los barrios latinos. Many residents of urban developments work to revitalize neighborhoods, such as the neighborhood in which the narrator of *La casa en Mango Street* lives. They try to instill pride and cultural identity through murals and community projects and through physical improvements to housing, museums, and parks. Look up Hispanic neighborhoods in larger cities by using the Internet or library resources. Many of these barrios have Web sites. Find at least two neighborhoods, and make a list, in Spanish, of things that the residents are doing to revitalize their community.

LA CIUDAD: _____ EL BARRIO: _____

_____

_____

_____

_____

_____

LA CIUDAD: _____ EL BARRIO: _____

_____

_____

_____

_____

_____

_____

¿Cuánto sabes tú?

12-32 ¿Sabes usar el participio pasado? Fill in the blanks with the past participles of the verbs in parentheses to express actions that have already been done.

1. La impresora ya está (encender) _____.

2. Los documentos ya están (imprimir) _____.

3. Los nuevos programas ya están (instalar) _____.

4. El nuevo contestador automático ya está (conectar) _____.

5. La computadora está (romper) _____.

6. Los documentos ya están (archivar) _____ en el disquete.

12-33 ¿Sabes usar el presente perfecto? Fill in the blanks with the present perfect form of the verbs in parentheses.

1. Mariano ya (estudiar) _____ para el examen.

2. ¿(Ver) tú _____ la última película de Andy García?

3. Nosotros (acabar) _____ el trabajo.

4. ¿(Tomar) usted _____ alguna vez clases de informática?

5. Luciano y Mariana nunca (escribir) _____ a máquina; siempre lo (hacer)

   _____ todo con la computadora.

12-34 ¿Sabes usar el futuro? Fill in the blanks with the appropriate future form of the verbs in parentheses.

La próxima semana Julián y Rosa (1. ir) _____ a una conferencia sobre el medio

ambiente en San Antonio. Ellos (2. reservar) _____ una habitación en el centro

de la ciudad y (3. visitar) _____ la hermosa ciudad tejana. Yo

(4. estar) _____ en San Antonio también, aunque no

(5. asistir) _____ a la conferencia. Nosotros (6. cenar) _____

juntos el sábado por la noche y (7. llamar) _____ a unos amigos nuestros que

viven en San Antonio para que cenen con nosotros.

12-35 ¿Sabes usar el condicional? Fill in the blanks with the appropriate conditional form of the verbs in parentheses.

Si yo fuera presidente del gobierno, (1. reducir) _____ los impuestos de los

ciudadanos y les (2. poner) _____ más multas a las industrias más

contaminantes. También, (3. controlar) _____ el proceso de deforestación de los

bosques y (4. plantar) _____ más árboles en las ciudades para mejorar la calidad

del aire. Si mi amigo Pedro fuera presidente, él (5. educar) _____ a la gente

sobre el medio ambiente y (6. combatir) _____ los efectos de la lluvia ácida. Si

uno de los dos, Pedro o yo, fuera presidente, el mundo (7. ser) _____ un lugar

mejor para todos.

12-36 ¿Sabes expresar probabilidad? Read the following conversation between Mario and Rubén. Then decide whether to use the conditional or the future form of the verbs in parentheses to express probability.

Mario: ¿Dónde está mi disquete?

Rubén: No sé. (1. Estará/Estaría) _____ en tu escritorio.

Mario: ¿Qué hora es?

Rubén: (2. Serían/Serán) _____ las dos.

Rubén: ¿Dónde está hoy la jefa?

Mario: (3. Estará/Estaría) _____ enferma.

(4.Trabajará/Trabajaría) _____ hasta tarde anoche.

Rubén: ¿Qué hizo la jefa anoche?

Mario: No sé. (5. Repasará/Repasaría) _____ las cuentas e

(6. instalará/instalaría) _____ el nuevo programa en su computadora.

12-37 ¿Sabes usar los mandatos informales? Fill in the blanks with the **tú** command form of the verbs in parentheses.

1. (Escribir) _____ los informes.

2. (Escuchar) _____ a tu supervisor.

3. No (jugar) _____ con la computadora.

4. No (llamar) _____ con mi teléfono móvil.

5. (Usar) _____ el teléfono inalámbrico de tu oficina.

6. No (irse) _____ tarde de la oficina.

Lab Manual

PRIMERA PARTE

¡Así es la vida!

12-38 ¿Por qué lo necesitas? As you listen to the following conversation, select the letters for all statements that are correct, according to what you hear. Listen to the conversation as many times as is necessary to find all the correct answers.

1. Catalina quiere...

   a. una calculadora.

   b. un procesador de textos.

   c. una computadora y una impresora.

2. La mamá cree que Catalina...

   a. no necesita una computadora.

   b. necesita una pantalla grande.

   c. no necesita una impresora.

3. Catalina...

   a. es estudiante.

   b. programa computadoras.

   c. diseña juegos electrónicos.

4. El precio que sale en la revista es...

   a. diecinueve mil pesos.

   b. veintidós mil pesos.

   c. veinte mil pesos.

5. El precio incluye...

   a. una videograbadora con pantalla grande.

   b. una computadora y una impresora.

   c. suficiente memoria.

6. La madre está enojada porque se rompió...

   a. la videograbadora.

   b. el teléfono inalámbrico.

   c. el contestador automático.

7. Por suerte Santiago puede arreglar...

   a. el fax.

   b. el teléfono.

   c. la videograbadora.

¡Así lo decimos! Vocabulario

12-39 Escoge la tecnología. Listen to the following sentences, and select the letter corresponding to the word or phrase that best completes each sentence. Then listen and repeat as the speaker gives the correct answer.

1. a. el contestador automático

   b. el cajero automático

   c. el teclado

2. a. los juegos electrónicos

   b. los faxes

   c. los discos duros

3. a. los télefonos móviles

   b. hipervínculos

   c. DVD

4. a. la finca

   b. la pantalla

   c. la marca

5. a. apagada

   b. instalada

   c. borrada

¡Así lo hacemos! Estructuras

1. The past participle and the present perfect indicative

12-40 ¿Ya lo han hecho? Tell what the following people have done using the cues provided. Then listen and repeat as the speaker gives the correct answer.

MODELO: You see: yo / instalar / el nuevo procesador de palabras
You say: *Yo he instalado el nuevo procesador de palabras.*

1. Camila / programar / el teléfono móvil

2. Josefina y Margarita / ir / a la tienda de computadoras

3. nosotros / archivar / los documentos

4. tú / comprar / un ratón nuevo

5. yo / apagar / el escáner

6. ustedes / grabar / la película

12-41 ¿Qué hemos hecho hoy? Change the following sentences to the present perfect. Then listen and repeat as the speaker gives the correct answer.

MODELO: You see: Luisa y yo fuimos a fotocopiar los documentos.
             You say: *Luisa y yo hemos ido a fotocopiar los documentos.*

1. Yo no dije nada.

2. Tú escribiste el programa.

3. Nosotros fuimos a comprar un juego electrónico.

4. Por fin volvieron sus clientes.

5. Paco y Raúl vieron la hoja electrónica.

6. El abuelo de Isabel murió.

7. Ustedes pusieron la información en el disquete.

8. Pablo y yo hicimos el trabajo.

12-42 ¿Cómo están las cosas? Form sentences using the cues provided. Then listen and repeat as the speaker gives the correct answer.

MODELO: You see: las ventanas / abrir
             You say: *Las ventanas están abiertas.*

1. los ratones / instalar / correctamente

2. la videograbadora / programar

3. estos juegos electrónicos / romper

4. el DVD / poner / en el lector

5. las hojas electrónicas / archivar

12-43 Todo ya está hecho. Respond affirmatively to the following questions, using the past participles and **ya** (*already*) to say that these things have already been done. Then listen and repeat as the speaker gives the correct answer.

MODELO: You see: ¿Escribiste las cartas?
             You say: *Sí, ya están escritas.*

1. ¿Hiciste las hojas electrónicas?   4. ¿Cubriste los teclados también?

2. ¿Compraste la pantalla que buscabas?   5. ¿Pusiste los DVD en el lector?

3. ¿Apagaste el escáner?

2. The future and the future of probability

12-44 ¿Cúando harán eso? Form sentences using the future tense of the verbs and the cues provided. Then listen and repeat as the speaker gives the correct answer.

MODELO: You see: ustedes / hablar / esta tarde
              You say: *Ustedes hablarán esta tarde.*

1. yo / ir / al Perú el año que viene

2. tú / buscar / un escáner nuevo / mañana

3. nosotros / grabar / la película / esta noche

4. ellos / repartir / las cartas / antes del mediodía

5. usted / encender / las computadoras / por la mañana

12-45 En el futuro... Form questions in the future tense using the cues provided. Then listen and repeat as the speaker gives the correct answer.

MODELO: You see: (yo) poner / dinero / en el banco
              You say: *¿Pondré el dinero en el banco?*

1. (ellos) querer / manejar / solos

2. venir / mis padres / esta noche

3. cuánto / valer / la pantalla

4. haber / computadoras / allí

5. (tú) tener que comprar / más memoria

6. (nosotros) saber / cómo apagar / la fotocopiadora

7. (yo) poder / instalarlo / mañana

8. (ella) hacer / unos diseños originales

9. (ellos) le decir / la información por teléfono

10. (tú) poner / el escáner

12-46 ¿Qué pasará? Answer the questions that you hear using the future tense to express probability. Then listen and repeat as the speaker gives the correct answer.

1. 4:30

2. veinte años

3. ocho euros

4. treinta personas

5. ninguna computadora

6. 9:15

SEGUNDA PARTE

¡Así es la vida!

12-47 Ahora en el programa "Tiempo nuevo"... As you listen to the following interview, select the letters for all statements that are correct, according to what you hear. Listen to the interview as many times as is necessary to find all the correct answers.

1. El tema de la semana es...

   a. "Tiempo nuevo".

   b. el medio ambiente.

   c. la energía.

2. El invitado al programa es...

   a. un especialista en el medio ambiente.

   b. un asesor de energía.

   c. un político de un partido.

3. El doctor Olivares quiere...

   a. consumir los recursos naturales.

   b. gastar dinero en la protección del ambiente.

   c. depositar desechos radioactivos en lugares especiales.

4. El doctor Olivares piensa resolver el problema de energía...

   a. creando parques nacionales.

   b. utilizando la energía nuclear.

   c. con el petróleo.

5. Según el doctor Olivares, la energía nuclear...

    a. produce más contaminación que la energía del petróleo.

    b. es más limpia que la energía que se obtiene del petróleo.

    c. es tan sucia como la energía que se obtiene del petróleo.

6. Las sugerencias del doctor Olivares son...

    a. multar a las fábricas que arrojen desechos a la naturaleza.

    b. aumentar la desforestación.

    c. emprender un programa de uso racional de los recursos.

¡Así lo decimos! Vocabulario

12-48 ¿Cuál es la mejor respuesta? Listen to the following sentences, and select the letter corresponding to the word or phrase that best completes each sentence. Then listen and repeat as the speaker gives the correct answer.

1. a. multa

    b. energía

    c. naturaleza

2. a. la radioactividad

    b. el aire

    c. la atmósfera

3. a. deforestación

    b. medida

    c. reciclaje

4. a. las fábricas

    b. la atmósfera

    c. los recursos naturales

5. a. aumenta la contaminación

    b. protege la planta nuclear

    c. conserva los recursos naturales

¡Así lo hacemos! Estructuras

3. The conditional and the conditional of probability

12-49 Las esperanzas para un mundo mejor. Form sentences using the verbs in the conditional tense and the cues provided. Then listen and repeat as the speaker gives the correct answer.

MODELO: You see: nosotros / no contaminar / el agua
You say: *Nosotros no contaminaríamos el agua.*

1 yo / reciclar / los periódicos

2. ustedes / saber / más sobre la lluvia ácida

3. los senadores / estar / dispuestos a ayudar

4. nosotros / mejorar / la protección del medio ambiente

5. tú /no arrojar / basura en la calle

6. mi ciudad / tener / menos contaminación

12-50 No había tiempo... Form complete sentences using the cues provided. Follow the model. Then listen and repeat as the speaker gives the correct answer.

MODELO: You see: Paco / prometernos / él / estudiar / más
You say: *Paco nos prometió que él estudiaría más.*

1. Juan´/ decirme / ir / a la sierra

2. yo / creer / las fábricas / poder / producir menos humo

3. Ana / decirnos / ella y Raúl / conservar / energía

4. mi esposo y yo / decidir / (nosotros) hacer / todo lo posible

5. Fernando / decirnos / tú / salir / para la planta nuclear

6. tú / decir / (tú) escribir / una carta de protesta

12-51 ¿Qué harían? Answer the questions based on the cues provided. Use the conditional to express probability, and use direct object pronouns when possible. Then listen and repeat as the speaker gives the correct answer.

1. a las 8:00

2. los empleados de la fábrica

3. programas de reciclaje y protección del medio ambiente

4. en un lugar de reciclaje

5. muchas protestas

4. *Tú* commands

12-52 ¿Qué debo hacer? You are a salesperson at an electronics store. Customers ask for your advice on what they need from the store. Tell the customers what they should and should not do using informal commands and the cues provided. Then listen and repeat as the speaker gives the correct answer.

MODELO: You see: comprar / muchos discos compactos
You say: *Compra muchos discos compactos.*

1. ir / departamento / de música

2. instalar / más memoria

3. no pensar / en el costo de los productos

4. poner / los disquetes en una bolsa plástica

5. no salir / sin comprar nada

6. tener / paciencia con la instalación

7. no pagar / ahora porque tenemos un plan de crédito

8. comparar / los precios de los contestadores automáticos

12-53 Consejos para tu mejor amigo. Your best friend has decided to become more aware of environmental conservation issues, and he asks you questions. Tell your friend whether he should or should not do the following things based on the questions that you hear. Use informal commands and direct object pronouns. Then listen and repeat as the speaker gives the correct answer.

MODELO: You hear: ¿Agua?
You see: conservar
You say: *Consérvala.*
                  or
You hear: ¿El aire?
You see: no contaminar
You say: *No lo contamines.*

1. arrojar

2. no producir

3. observar

4. implementar

5. no usar

6. hacer

7. conservar

8. no buscar

¿Cuánto sabes tú?

12-54 Para el año próximo... Listen to the statements that you hear and predict what will happen next year. Begin your sentences with **Para el año próximo...,** and make all other necessary changes. Then listen and repeat as the speaker gives the correct answer.

MODELO: You hear: Queremos resolver el problema del desempleo.
           You say: *Para el año próximo resolveremos el problema del desempleo.*

1. Para el año próximo...   4. Para el año próximo...

2. Para el año próximo...   5. Para el año próximo...

3. Para el año próximo...

12-55 ¿Qué han hecho para el medio ambiente? Answer the questions that you hear using the cues provided. Then listen and repeat as the speaker gives the correct answer.

MODELO: You hear: ¿Llenaste la solicitud?
           You see: tener tiempo
           You say: *No, no he tenido tiempo. La llenaré pronto.*

1. lavar las botellas todavía   3. estar en el Perú

2. recibir notificación   4. tener problemas con la planta nuclear

12-56 Preguntas personales. Write an appropriate response to the questions that you hear. Because answers will vary, compare your answers to the answers that are provided. Then read your response to practice communication and pronunciation.

1. _____

2. _____

3. _____

4. _____

5. _____

6. _____

13 ¿Oíste las noticias?

Workbook

PRIMERA PARTE

¡Así es la vida!

13-1 ¿Recuerdas? Decide if the following statements are **cierto (C)** or **falso (F),** based on the horoscope in **¡Así es la vida!** on page 436 of your textbook.

C   F   1. Los leo no van a tener dificultades en sus relaciones personales.

C   F   2. Los escorpio pueden ayudar a sus amigos.

C   F   3. Los libra se enfrentan a grandes desafíos.

C   F   4. Los acuario deben tener prisa para tomar decisiones.

C   F   5. Los sagitario no están cumpliendo en el trabajo.

C   F   6. Los piscis deben cumplir sus compromisos.

C   F   7. Los aries deben recordar el pasado.

C   F   8. Los tauro tienen que descansar.

C   F   9. Los géminis deben pedir respeto.

C   F   10. Los cáncer deben confiar en sí mismos.

¡Así lo decimos! Vocabulario

13-2 Los medios de comunicación. Write ten logical statements about television and newspapers, using one word from the left column and one word from the right. Use each word at least once.

la comentarista	el certamen
el crítico	el concurso
el lector	la crónica social
el meteorólogo	la emisora
el patrocinador	en directo

el radioyente	informar
la reportera	el noticiero
el televidente	el periódico
las tiras cómicas	la primera plana
el titular	la televisión

1. _____

2. _____

3. _____

4. _____

5. _____

6. _____

7. _____

8. _____

9. _____

10. _____

13-3 Las secciones del periódico. Match the name of the newspaper section you would turn to for each of the following situations.

1. _____ Buscas un trabajo.

2. _____ Buscas el resultado del partido de béisbol.

3. _____ Tienes problemas con tu novio.

4. _____ Quieres ir al cine o al teatro.

5. _____ Deseas saber tu futuro.

6. _____ Necesitas saber la fecha del funeral de una persona.

7. _____ Quieres saber quiénes se casan.

8. _____ Deseas saber la opinión del editor.

a. la esquela

b. el horóscopo

c. el editorial

d. el consultorio sentimental

e. la cartelera

f. la crónica social

g. los anuncios

h. la sección deportiva

Nombre: _____ Fecha: _____

13-4 ¡A escoger! Choose the word that most logically fits in each sentence.

1. A un _____ le gusta escuchar la radio.

   a. televidente   b. radioyente

2. Para enterarse de los acontecimientos del día, se lee _____.

   a. la televisión por cable   b. la primera plana

3. Mi _____ favorita es WKGB.

   a. estación de radio   b. emisora

4. Un _____ da las noticias a las siete de la noche.

   a. comentarista   b. lector

5. La _____ transmite sus programas todos los días.

   a. emisora   b. telenovela

6. El periodista _____ las noticias del día.

   a. informa sobre   b. patrocina

7. _____ selecciona los programas.

   a. La emisora   b. El canal

8. La _____ del certamen paga los gastos del programa.

   a. patrocinadora   b. crítica

9. Me divierto mucho cuando leo _____.

   a. las esquelas   b. las tiras cómicas

10. Voy a leer _____ esta tarde.

    a. el editorial   b. la editorial

¡Así lo hacemos! Estructuras

1. The imperfect subjunctive

13-5 Recomendaciones. You just attended a press conference on environmental issues, and you are telling your friends about the conference. Complete each statement with the imperfect subjunctive form of the verbs in parentheses.

1. El señor nos dijo que...

   (conservar) _____ más energía.

   no (arrojar) _____ tantos deshechos.

   (consumir) _____ menos petróleo.

   (proteger) _____ el planeta.

2. Insistió en que cada ciudad...

   (tener) _____ un programa de reciclaje.

   (multar) _____ a algunas fábricas.

   (explicarle) _____ a la población la importancia del reciclaje.

   no (contribuir) _____ a la contaminación del medio ambiente.

3. Quería que todos los niños...

   (aprender) _____ a conservar energía.

   (asistir) _____ a un programa de reciclaje.

   (estar) _____ informados sobre la repoblación forestal.

   (hacer) _____ algo por el medio ambiente.

4. Dudaba que nosotros...

   (poder) _____ eliminar totalmente la contaminación.

   no (querer) _____ participar en la conservación.

   no (hablarles) _____ del programa a nuestros amigos.

   (seguir) _____ contaminando el planeta.

13-6 Un informe. Retell what you heard at the press conference. Change the first verb to the imperfect indicative in sentences 1 through 5 and to the preterit in sentences 6 through 10. Make any other necessary changes.

MODELO: El líder quiere que consumamos menos petróleo.
El líder quería que consumiéramos menos petróleo.

1. Él espera que los gobiernos hagan algo para mejorar el medio ambiente.

   _____

2. Él quiere que les escribamos a nuestros compañeros.

   _____

3. También espera que todos aprendan algo de los resultados de la contaminación.

   _____

4. Duda que se pueda resolver la situación inmediatamente.

   _____

5. Teme que no haya muchas soluciones disponibles.

   _____

6. Nos dice que empecemos un programa de reciclaje en el barrio.

   _____

7. Recomienda que comencemos con un grupo pequeño.

   _____

8. Insiste en que yo sea el líder del grupo.

   _____

9. Nos pide que le digamos los resultados.

   _____

10. Sugiere que todos participen para que tengamos éxito.

    _____

13-7 ¡A completar! Complete each sentence with the present or imperfect subjunctive form of the verbs in parentheses.

1. Es bueno que nosotros (leer) _____ más periódicos.

2. Me alegré de que tú (ver) _____ que existía un problema.

3. Los comentaristas reclamaban que el gobierno les (dar) _____ la libertad a los presos.

4. Yo prefiero que la prensa (revisar) _____ las noticias antes de publicarlas.

5. Preferíamos que el gobierno (proteger) _____ la libertad de prensa.

6. Ella me pidió que le (traer) _____ las tiras cómicas.

7. Los reporteros temían que (ocurrir) _____ problemas entre los presos y el mandatario.

8. No creo que (haber) _____ una mejor revista que ésa.

9. Los televidentes lamentaron que el canal no (transmitir) _____ la telenovela hoy.

10. Fue indispensable que los radioyentes (darse) _____ cuenta de la disidencia en el país.

11. El periódico les dijo a los lectores que no (albergar) _____ esperanzas.

12. Tú esperas que las fotos de tu cumpleaños (estar) _____ en la página social.

13. Dudábamos que las noticias sobre la cumbre (encontrarse) _____ en la primera plana.

14. Necesita que nosotros (analizar) _____ la sección financiera.

2. Long-form possessive adjectives and pronouns

13-8 ¿Dónde está(n)? No one can find anything at the newsroom today. Answer the questions, following the model.

MODELO: ¿Dónde está tu reseña (*report*)?
              ¿La mía? No sé.

1. ¿Dónde están mis tiras cómicas?

   ¿————————————? No sé.

2. ¿Dónde están tus fotos?

   ¿————————————? No sé.

3. ¿Dónde está el editorial de Federico?

   ¿————————————? No sé.

4. ¿Dónde están los avisos clasificados de ustedes?

   ¿————————————? No sé.

5. ¿Dónde están tus noticias?

   ¿————————————? No sé.

6. ¿Dónde está nuestro horóscopo?

   ¿————————————? No sé.

7. ¿Dónde está la crónica social del señor Gómez?

   ¿————————————? No sé.

8. ¿Dónde están las carteleras de Ana y Paula?

   ¿————————————? No sé.

13-9 ¿De quién es? Answer Ramón's questions, using the cues in parentheses. Follow the model.

MODELO: ¿Es tu revista? (ella)
              No, no es mía, es suya.

1. ¿Es tu emisora? (Eduardo)

2. ¿Son mis estaciones de radio? (nosotros)

_____

3. ¿Son los canales de ustedes? (él)

_____

4. ¿Es mi programa radiofónico? (ellos)

_____

5. ¿Es el noticiero de Graciela? (tú)

_____

6. ¿Son nuestros radioyentes? (nuestros amigos)

_____

7. ¿Son mis reseñas? (ellas)

_____

8. ¿Es tu concurso? (él)

_____

13-10 Demasiada repetición. Fill in the blanks in the sentences that follow parts of the dialog, using possessive pronouns to eliminate repetition.

MODELO: Mi horóscopo está interesante hoy. ¿Ya leíste tu horóscopo?
Mi horóscopo está interesante hoy. ¿Ya leíste el tuyo?

Julio: ¿Dónde está mi periódico?

Ernesto: Ni sé. Mi periódico está aquí, pero no he visto tu periódico. ¿Quieres leer una sección de mi periódico?

1. Ni sé. Mi periódico está aquí, pero no he visto _____. ¿Quieres leer una

sección del _____?

Julio: No, tu periódico no tiene noticias regionales y no lleva mis columnas favoritas.

2. No, _____ no tiene noticias regionales y no lleva mis columnas favoritas.

Ernesto: ¡Gracias a Dios! Tus columnistas favoritos son extremistas. Mis columnistas favoritos son más razonables y calmados.

3. ¡Gracias a Dios! Tus columnistas favoritos son extremistas. _____ son más

razonables y calmados.

Julio: ¡Tus columnistas favoritos son aburridos! ¡No dicen nada!

4. ¡_____ son aburridos! ¡No dicen nada!

Ernesto: A veces no entiendo tus opiniones.

Julio: Pues, por lo menos mis opiniones son mis opiniones. Tus opiniones son... ¡Tú no tienes opiniones originales! ¿¡Dónde está mi periódico!?

5. Pues, por lo menos _____ son _____. _____

son... ¡Tú no tienes opiniones originales! ¿¡Dónde está mi periódico!?

Ernesto: Pues, no puedo saber dónde está tu periódico; no tengo opiniones.

6. Pues, no puedo saber dónde está _____; no tengo opiniones.

Segunda parte

¡Así es la vida!

13-11 ¿Cierto o falso? Reread the article in **¡Así es la vida!** on page 451 of your textbook and indicate whether the statements are **cierto (C)** or **falso (F)**.

C   F   1. Jorge Ramos ha sido presentador del *Noticiero Univisión* desde los diecisiete años.

C   F   2. Jorge es un hispano con mucha influencia en los EE.UU.

C   F   3. Su programa sólo se puede ver en Latinoamérica.

C   F   4. El trabajo de Jorge ha sido reconocido con varios premios.

C   F   5. Jorge es mexicano.

C   F   6. Antes de ser periodista, se dedicó al atletismo.

C   F   7. Empezó su carrera de periodista en un periódico.

C   F   8. El gobierno mexicano dejó que Jorge trabajara libremente.

C   F   9. Jorge empezó su carrera televisiva en Los Ángeles.

C   F   10. Jorge Ramos no cree que se pueda ser hispano y buen americano a la vez.

¡Así lo decimos! Vocabulario

13-12 ¡A completar! Complete each sentence with the appropriate word from the word bank. Make any changes that are necessary.

comedia	filmar	galán	obra	productor
espectador	final	guión	primera actriz	protagonista

1. Los _____ gastaron mucho dinero en esa filmación.

2. El _____ de esa película es muy emocionante.

3. El galán y la _____ se besan al final de la película.

4. Él es muy guapo, es el _____ de la telenovela.

5. Los _____ estaban muy emocionados cuando estaban viendo la película.

6. La película se _____ el año pasado.

7. Las _____ de Shakespeare son muy interesantes.

8. Me divertí mucho cuando fui a ver esa _____.

9. ¿Quién escribió el _____ de la película?

10. Al final de la película, la _____ se murió.

13-13 Preguntas personales. Answer the following questions in complete sentences.

1. ¿Cuál es tu película favorita? ¿Por qué?

_____

_____

2. ¿Quién es tu actor/actriz preferido/a y por qué?

_____

_____

3. ¿Cuáles son las cualidades de una buena película?

_____

_____

4. ¿Quiénes ganarán el Óscar este año? Explica.

_____

_____

5. ¿Por qué te gustan o no las telenovelas?

_____

_____

¡Así lo hacemos! Estructuras

3. Si clauses

13-14 Una conversación entre amigos. Complete the conversation between Toño and Sara, filling in the blanks with the correct form of the verbs in parentheses.

Toño: Mira, si tú no me (1. escuchar) _____, no podemos hablar.

Sara: Tienes razón, chico. Voy a escucharte ahora mismo, si (2. querer) _____.

Toño: Bueno, nosotros no (3. tener) _____ tantos problemas si la prensa

(4. ser) _____ más responsable.

Sara: Sí, pero si nosotros no (5. tener) _____ prensa libre, no se

(6. saber) _____ la verdad.

Toño: No sé, pero si se (7. poder) _____ reportar las noticias sin

sensacionalismo, nosotros (8. estar) _____ mejor informados.

Sara: Es verdad, pero si nosotros no (9. interesar) _____ a los televidentes

con sensacionalismo, muchos nunca (10. ver) _____ ninguna noticia.

13-15 Si... Fill in the blanks with the appropriate form of the verbs in parentheses to show simple *if* clauses or contrary-to-fact situations.

1. Si ella (tener) _____ las entradas, la llamaría.

2. Si (ser) _____ actor, viviré en Hollywood.

3. Si (poder) _____ ir al teatro, te buscaría a las seis.

4. Si quiero asistir a la obra de teatro, (tener) _____ que leer la reseña.

5. Si Mariah Carey cantara, yo (ir) _____ al concierto.

6. Si tú (querer) _____, nosotros veríamos la película.

7. Si ellas (tener) _____ amigos, saldrán con ellos al cine.

8. Si hubiera mejores actores, se (filmar) _____ mejores películas.

13-16 Tus opiniones. Say what you would do in each of the following situations by completing the statements.

1. Si tuviera más tiempo, _____.

2. Si yo llegara más temprano, yo _____.

3. Yo trataré de ser actor/actriz si _____.

4. Yo escribiría guiones de películas si _____.

5. Si puedo ayudar a mis amigos a ser productores de películas, _____

_____.

6. Yo iría a Hollywood si _____.

7. Si hubiera una compañía de actores aquí, _____.

8. Yo trataría de reseñar esa película si _____.

4. The future perfect and the conditional perfect

13-17 Vamos al cine. Imagine that your friend Cristina, who is a very demanding person, has invited you and your friends to go to the movies. Here is what she expects everyone to have done before the movie starts. Use the future perfect form of the verbs in parentheses.

1. Todos nosotros (llegar) _____ al cine media hora antes de que la película

   empiece.

2. Marcos (llamar) _____ al cine seis horas antes de la hora del comienzo de la película.

3. Tú (traer) _____ los cupones para las palomitas (*popcorn*) y los refrescos media hora antes de empezar la película.

4. Rosalía (avisar) _____ a Penélope dos horas antes de ir al cine.

5. Ustedes (comprar) _____ los boletos.

6. Fernanda (leer) _____ la crítica de la película.

7. Miguel y Andrés (hacer) _____ cola en el cine para sentarse en buenas butacas.

8. Todos nosotros (comer) _____ antes de llegar al cine.

13-18 ¡A completar! Complete the following exchanges with the correct future perfect form of the verbs in parentheses.

1. —¿(Aprender) _____ ustedes el guión antes de las once de la mañana?

—Por supuesto, nosotros (memorizar) _____ el guión antes de esa hora.

2. —¿(Filmar) _____ las escenas peligrosas antes del martes?

—Sí, (tener) _____ tiempo para filmarlas antes del martes.

3. —¿(Escribir) _____ usted la carta por correo electrónico al productor en una hora?

—¡Cómo no! La (hacer) _____ en media hora.

4. —¿(Instalar) _____ ellos la iluminación antes del almuerzo?

—No sé si ellos (terminar) _____ de instalar la iluminación antes del almuerzo.

5. —¿(Poder) _____ recoger el chófer al galán de la película hoy?

—Seguro, él (recoger) _____ al galán antes de las nueve de la mañana.

13-19 ¡Un rodaje horrible! The cast has just finished filming a new movie, but they are not pleased. Fill in the blanks with the conditional perfect form of the verbs in parentheses to find out what the cast would have done differently.

El director

1. Teniendo más dinero, (contratar) _____ a mejores actores.

2. Con un mejor reparto, (grabar) _____ más escenas dramáticas.

3. Teniendo un buen productor, la cinematografía (ser) _____ mejor.

El galán

4. Teniendo un director mejor, (nosotros) (actuar) _____ mejor.

5. Estando en otro estudio, (nosotros) (tener) _____ más tiempo para filmar.

6. Con otros compañeros de reparto, (yo) (trabajar) _____ más a gusto (*at ease*).

7. Empezando la grabación antes, (nosotros) (terminar) _____ la película a

    tiempo.

La primera actriz

8. Estudiando más el guión, el galán (hacer) _____ bien su trabajo.

9. Teniendo paciencia, el director (conseguir) _____ apoyo del productor.

10. Con más dedicación, (nosotros) (ganar) _____ algún premio.

13-20 Regreso al pasado. Read the following situations and explain what would you have done differently by completing the sentences in the conditional perfect tense.

1. Siendo actor/actriz, _____.

2. Siendo presidente del gobierno, _____.

3. Estudiando en otro país, _____.

4. Con más dinero, _____.

5. Siendo miembro de la Academia de Hollywood, _____.

6. Siendo director/a de cine, _____.

7. Sabiendo hablar español perfectamente, _____.

8. En una universidad diferente, _____.

Nuestro mundo

Panoramas

13-21 ¡A informarse! Based on the information from **Nuestro mundo** on pages 462–463 of your textbook, decide if the following statements are **cierto (C)** or **falso (F).**

1. En España hay dieciocho comunidades autónomas.

2. El español es el único idioma oficial de España.

3. Galicia, por su idioma, se compara con Escocia.

4. Hay influencia celta en Galicia.

5. El euskera es un idioma en extinción que no se enseña en las escuelas.

6. El origen del euskera es desconocido.

7. Cataluña es una región muy importante a nivel artístico y político.

8. Andalucía es la región de España donde la influencia árabe es más aparente.

9. El Alcázar es un palacio árabe que se encuentra en Andalucía.

10. El poder de los monarcas Fernando e Isabel dio fuerza al castellano en toda la península.

13-22 Tu propia experiencia. Using the Internet and library sources, research one of the eighteen regions of Spain and explain what makes that region different from the rest of the country. Do you think you can find such differences in your area compared with the rest of the country? Write a brief essay in Spanish explaining why or why not.

_____

_____

_____

_____

_____

_____

Taller

13-23 Doctora Corazón

Primera fase. Imagine that you write the advice column **"Doctora Corazón".** Read the following letter your column received, and list in Spanish the problems the writer has. For each problem, list a possible piece of advice.

Doctora ♥ Corazón

Dra. Corazón

Viajo mucho por mi trabajo. Paso por Miami por lo menos dos veces al mes. Cuando quiero divertirme y hablar con otras personas, voy a una discoteca muy popular que está cerca de mi hotel. En mi último viaje, conocí a una fabulosa mujer que es modelo. Quedamos en que nos encontraríamos al día siguiente para cenar juntos. Me dio su número de teléfono y yo le di el del hotel, por si algo acaso pasaba y no nos pudiéramos encontrar. Ella nunca apareció ni me llamó. Yo la llamé para saber qué había pasado (*had happened*). Otra vez nos citamos para esa noche, pero otra vez me dejó plantado (*stood me up*). ¡No apareció! Estaba enojado y no quería llamarla,

pero un amigo me dijo que quizás algo serio le había pasado y que por lo menos debiera saber si estaba bien. Desde el aeropuerto la llamé. Resultó que no le pasó nada, que solamente no quería verme esa noche y no se había molestado (*had bothered*) en llamarme. Le dije horrores de su manera de comportarse conmigo y lo enojado que yo estaba con ella. Y me fui de Miami. Ahora, acabo de recibir una carta de ella. ¡Parece una carta de amor! Quiere saber cuándo volveré. Quiere recogerme del aeropuerto y pasar todo el tiempo que yo quiera conmigo. ¡No sé qué pensar! ¿Usted entiende esta carta?

Pedro

PROBLEMAS	CONSEJOS
_____	_____
_____	_____
_____	_____
_____	_____

Segunda fase. Now use the lists from the **Primera fase** to organize an answer to Pedro's letter in your advice column.

_____

_____

_____

_____

_____

13-24 Los paradores. If you were to visit Spain, you might want to stay in one of the more than 80 official **paradores.** Use the Internet or library resources to find out what a **parador** is, how the tradition of a **parador** began, and when they were officially established by the government. Try to find at least three that look interesting to you and list in Spanish their names, locations, and the reasons why you like them.

DEFINICIÓN: _____

HISTORIA: _____

_____

_____

_____

TRES PARADORES QUE ME INTERESAN: _____

_____

_____

_____

13-25 Más allá de las páginas: RENFE. In *Solos esta noche,* José and Carmen are locked in a subway station. In the larger Spanish cities, residents have many public transportation options. Use the Internet or library resources to find out what **RENFE** is and what it provides. Complete the following list in Spanish.

RENFE (DESCRIPCIÓN): _____

SIGNIFICADO DE LAS LETRAS: _____

_____

SERVICIOS: _____

_____

_____

_____

MÁS INFORMACIÓN: _____

_____

_____

_____

¿Cuánto sabes tú?

13-26 ¿Sabes usar el imperfecto de subjuntivo? Fill in the blanks with the appropriate form of the imperfect subjunctive of the verbs in parentheses.

1. El horóscopo me recomendó que (hablar) _____ más con mis amigos.

2. El comentarista esperaba que la situación política (cambiar) _____ pronto.

3. El editor quería que el reportero (escribir) _____ la reseña de nuevo.

4. El periodista quería que el público (saber) _____ la verdad.

5. Era dudoso que la televisión (decir) _____ lo que pasó.

6. El gobierno prohibió que los medios de comunicación (publicar) _____ el

   escándalo.

13-27 ¿Sabes usar los pronombres y adjetivos posesivos largos? Following the model, complete the conversations with the appropriate long-form possessive adjective or pronoun.

MODELO: —Mi televisor es de treinta y dos pulgadas.
                —*El mío es de treinta y seis pulgadas.*

1. —Mi periódico es muy objetivo en sus reseñas políticas.

   —_____ es muy prestigioso y respetado.

2. —Mi padre siempre lee la prensa deportiva.

   —_____ siempre lee la sección de economía.

3. —A mí no me gusta lo que dice mi horóscopo sobre mi futuro.

   —Pues _____ dice que voy a tener mucha suerte en el amor.

4. —Mis lectores creen que soy el mejor periodista del país.

   —_____ creen que soy imparcial y objetivo.

5. —Tus lectores no saben lo que dicen.

   —Pues _____ no entienden nada de periodismo objetivo.

13-28 ¿Sabes completear las cláusulas con *si*? Choose the most appropriate verb form to complete the following sentences.

1. Si Antonio Banderas fuera el galán, (nosotros) _____ a ver la película.

   a. vamos   b. iríamos   c. fuéramos

2. Penélope Cruz actúa como si _____ una actriz veterana; ¡es muy buena actriz!

   a. fuera   b. es   c. será

3. Me _____ más la película si el final fuera diferente.

   a. gustará   b. gustara   c. gustaría

4. Si la televisión muestra la entrega de premios, la _____ juntos.

   a. viéramos   b. veremos   c. veríamos

5. Pedro Almodóvar será más famoso en los EE.UU. si _____ cine más comercial.

   a. hace   b. hiciera   c. hará

13-29 ¿Sabes usar el futuro perfecto y el condicional perfecto? Fill in the blanks with the appropriate future or conditional perfect form of the verbs in parentheses, according to the context.

1. Con más tiempo, ayer yo (ir) _____ al cine con mis amigos.

2. La semana que viene nosotros (ver) _____ la mejor película del año.

3. En diez años, Javier Bardem (tener) _____ mucho éxito en este país.

4. Con estos avances tecnológicos, los actores y actrices del pasado (ser) _____

   mucho mejores.

5. Con más talento, yo (estudiar) _____ arte dramático cuando estaba en la

   escuela secundaria.

6. En pocos años, el cine latino (conseguir) _____ mucho reconocimiento.

Lab Manual

PRIMERA PARTE

¡Así es la vida!

13-30 El periódico por la mañana. As you listen to the following conversation, select the letters for all statements that are correct, according to what you hear. Listen to the conversation as many times as is necessary to find all the correct answers.

1. Pablo...

   a. leía los titulares.

   b. leía la cartelera del periódico.

   c. leía la primera plana del periódico.

2. Alejandra...

   a. buscó el periódico.

   b. leía el consultorio sentimental.

   c. quería que Pablo le diera la primera plana.

3. Pablo le dijo a Alejandra que...

   a. viera una telenovela.

   b. mirara la sección financiera del periódico.

   c. leyera la sección deportiva.

4. Pablo y Alejandra leyeron juntos...

   a. la esquela y la crónica social.

   b. el editorial sobre el Perú.

   c. el artículo sobre el Perú.

5. Lucas podía leer...

   a. las tiras cómicas.

   b. la esquela.

   c. el consultorio sentimental.

6. Lucas...

   a. tenía interés en leer la cartelera.

   b. prefería leer los deportes.

   c. eligió leer el horóscopo.

7. Pablo les pidió que...

   a. oyeran las últimas noticias en la televisión.

   b. pusieran noticias en la radio.

   c. escucharan al comentarista de la radio.

8. Lucas...

   a. temía que las emisoras de radio no pasaran noticias.

   b. esperaba ver las noticias de los canales de Latinoamérica.

   c. leyó el horóscopo para él y su mamá.

¡Así lo decimos! Vocabulario

13-31 ¿Qué quieres hacer esta noche? Answer the questions that you hear based on the following newspaper clippings. Then listen and repeat as the speaker gives the correct answer.

MUY ESPECIAL

■ **En la televisión**

5:30 p.m.
51 **El niño.** Un programa dirigido a los nuevos padres, con Eva y Jorge Villamar.

8:00 p.m.
HIT **Hablando con el Pueblo.** Armando García Sifredo nos trae un programa para Miami tocando temas de interés para toda la ciudadanía. 90 mins.

8:00 p.m.
DIS **Toy Story 2.** Con las voces de Tom Hanks y Tim Allen. Woody descubre que es seguido por un coleccionista. Tiene que decidir si se queda con los otros juguetes o sigue la fama. 1 1/2 hrs.

9:00 p.m.
51 **El Alburero.** Con Rafael Inclán y Rebeca Silva. Un hombre amable habla en rima y trata de conquistar a las mujeres. 100 mins.

■ **En la radio**

Mediodía
WWFE-AM (670) Radio Fe. **La mogolla.** Alberto González en un programa de sátira política y social.

10:00 p.m.
WTMI-FM (93.1) Nocturno. Barber: Concierto de violín, Op. 14; Oliveira, violín; Orquesta Sinfónica de St. Louis; Slatkin, director; Thompson: Sinfonía No. 3 en la menor; Orquesta Sinfónica de Nueva Zelandia; Schenk, director. Brahms: Cuarteto de cuerdas No. 2 en la menor, Op. 51; Cuarteto Janacek.

1. _____
2. _____
3. _____
4. _____
5. _____
6. _____

NOCHE

6:00 p.m.
23 **51** Noticiero
HIT La bahía 1 hr.
TEL Topacio Repetición

6:30 p.m.
23 Noticiero Univisión
51 Noticiero Telemundo / CNN
GAL ¡Ándale! Paco Stanley. 1 hr.

7:00 p.m.
23 Paulatina
51 Manuela
HIT Chispita
TEL Tele Perú

7:30 p.m.
GAL T.V.O.
HIT Tremenda corte

8:00 p.m.
23 Buscando
51 Película *El sombrero de tres picos*
GAL La bahía
HIT Hablando con el pueblo
TEL Internacional video "Hit 5/10"

8:30 p.m.
GAL Rosa salvaje

9:00 p.m.
23 Al filo de la muerte
51 Película *El Alburero.* Con Rafael Inclán y Rebeca Silva. Un hombre amable habla en rima y trata de conquistar a las mujeres. 100 mins.
GAL Pepita
TEL Topacio Repetición

9:30 p.m.
GAL Madres egoístas
HIT Clásicos del teatro

10:00 p.m.
23 Viña del mar "Festival de Canciones" (Parte 6 de 7). Desde Valparaiso, Chile. 1 hr.
GAL Valeria y Maximiliano
TEL Estudio abierto Luis Conte

10:30 p.m.
51 Mi vida
GAL La luna

11:00 p.m.
23 **51** Noticiero
GAL Vida perdida
HIT Oscar Aguero
TEL Debate Repetición

¡Así lo hacemos! Estructuras

1. The imperfect subjunctive

13-32 ¿Qué quería la prensa? Form sentences using the cues provided. Then listen and repeat as the speaker gives the correct answer.

MODELO: You see: el presidente / hablar / la gente
You say: *La prensa quería que el presidente hablara con la gente.*

1. yo / expresar / mi opinión

2. tú / resolver / el problema

3. los reporteros / ser / exacto

4. nosotros / leer / la crónica

13-33 La estación de radio. Change the sentences that you hear to the imperfect subjunctive. Then listen and repeat as the speaker gives the correct answer.

MODELO: You hear: Es importante que vengas.
You see: venir
You say: *Era importante que vinieras.*

1. salir

2. informarle

3. patrocinar

4. decir

13-34 Durante el noticiero. Answer the questions that you hear using the cues provided. Then listen and repeat as the speaker gives the correct answer.

MODELO: You hear: ¿Qué era importante?
You see: yo / consumir / poco
You say: *Era importante que yo consumiera poco.*

1. (tú) escuchar / al meteorólogo

2. (nosotros) revisar / las notas del acontecimiento

3. solucionarse / el problema

4. poner / más noticias en la primera plana

2. Long-form possessive adjectives and pronouns

13-35 En la oficina de los reporteros. Answer the questions that you hear based on the cues provided. Then listen and repeat as the speaker gives the correct answer.

MODELO: You hear: ¿De quién es el periódico?
You see: Ana y Héctor
You say: *El periódico es suyo.*

1. Alicia

2. yo

3. Vanesa y Julia

4. nosotros

5. tú

6. tú

7. usted

8. yo

13-36 ¿Cómo dividir el periódico? Form sentences using the cues provided. Then listen and repeat as the speaker gives the correct answer.

MODELO: You see: el artículo / ella
You say: *El artículo es suyo.*

1. la primera plana / nosotros

2. las tiras cómicas / tú

3. los anuncios / los padres

4. el horóscopo / yo

5. la sección deportiva / tú

6. la cartelera / yo

7. el consultorio sentimental / nosotros

8. la esquela / los abuelos

SEGUNDA PARTE

¡Así es la vida!

13-37 ¿Te gustó la película? As you listen to the following conversation, select the letters for all statements that are correct, according to what you hear. Listen to the conversation as many times as is necessary to find all the correct answers.

1. Francisca y Alejandro...

    a. fueron al cine.

    b. comieron en un restaurante.

    c. fueron al teatro.

2. A Francisca le gustó...

    a. el rodaje.

    b. la cinematografía.

    c. el galán.

3. Francisca quiere...

    a. regresar al teatro.

    b. regresar al cine.

    c. cambiar el final.

4. Alejandro...

    a. no vio la película.

    b. leyó la novela.

    c. se durmió durante la obra de teatro.

5. A Alejandro...

    a. le gusta el final de la película.

    b. le interesa ser productor.

    c. le encanta el teatro.

6. Alejandro...

    a. prefiere el cine porque cuesta menos que el teatro.

    b. ha actuado en varios dramas.

    c. quiere aplaudir a los actores.

¡Así lo decimos! Vocabulario

13-38 ¿Qué es eso? Select the word or expression from the vocabulary in **¡Así lo decimos!** on page 452 of your textbook that best completes each sentence you hear. Then listen and repeat as the speaker gives the correct answer.

1. a. el filme

    b. el galán

    c. el estudio

2. a. el guión

    b. la telenovela

    c. la productora

3. a. una comedia

    b. protagonista

    c. una cinta

4. a. la ventaja

    b. el protagonista

    c. el espectador

5. a. actuar

   b. grabar

   c. representar

6. a. la escena

   b. la obra

   c. la cinematografía

¡Así lo hacemos! Estructuras

3. *Si* clauses

13-39 ¿Cómo sería diferente? Form sentences using the cues provided to express contrary-to-fact conditions. Then listen and repeat as the speaker gives the correct answer.

MODELO: You see: las compañías teatrales / producir / más obras / el público / ir / más
          frecuentemente al teatro
          You say: *Si las compañías teatrales produjeran más obras, el público iría más frecuentemente*
          al teatro.

1. el galán / ser / una persona mala / a nadie / gustarle / la película

2. el programa / empezar / a tiempo / (ellos) tener / menos problemas

3. los guiones / estar / en español / ser / más fácil de entender

4. la primera actriz / actuar / mejor / (nosotros) poder / entender su acento

5. (nosotros) querer / ver / una comedia / ir / a esta película

13-40 ¡Éxito en las artes! Change the sentences that you hear to reflect contrary-to-fact conditions. Then listen and repeat as the speaker gives the correct answer.

MODELO: You hear: Si los actores actúan bien, el drama recibe mucho aplauso.
          You write and say: *Si los actores actuaran bien, el drama recibiría mucho aplauso.*

1. Si _____.

2. Si _____.

3. Si _____.

4. Si _____.

4. The future perfect and the conditional perfect

13-41 ¿Qué habrá pasado en la telenovela? Your VCR broke and you couldn't tape the last episode of the soap opera. What will have happened? Ask questions using the cues provided. Then listen and repeat as the speaker gives the correct answer. Check the spelling of the participles in the Answer Key.

MODELO: You see: la telenovela / tener / mucha acción
          You say: *¿La telenovela habrá tenido mucha acción?*

1. Adriana / saber / la verdad

2. Carina / poner / la evidencia en el auto de Ramón

3. Débora y Jaime / casarse

4. todos / estar / contentos

5. Beatriz / decirle / a Patricio la información confidencial

6. Diego / volver / de Buenos Aires

7. Rosaura / morir

8. Carmen y Rosario / creer / las excusas de sus hijas

13-42 Una visita al futurista. José is visiting a futurist because he wants to know what will have occurred by the year 2020. Answer José's questions as if you were the futurist using the cues provided. Then listen and repeat as the speaker gives the correct answer.

MODELO: You hear: ¿Habitarán los hombres Marte?
          You write and say: *No, no habrán habitado Marte.*
                    or
          You write and say: *Sí, habrán habitado Marte.*

1. Sí, _____.

2. No, _____.

3. Sí, _____.

4. No, _____.

5. Sí, _____.

6. Sí, _____.

Nombre: _____ Fecha: _____

13-43 La primera actriz. Tell what this famous actress would have done if circumstances had been different. Form sentences using the cues provided. Then listen and repeat as the speaker gives the correct answer.

Modelo: You see: yo / filmar / películas en inglés / no hablar bien el idioma
You say: *Yo habría filmado películas en inglés, pero no hablaba bien el idioma.*

1. yo / vivir / Madrid / no / tener / pasaporte

2. yo / estudiar / baile / decidir / estudiar / literatura

3. yo / actuar / Nueva York / cancelarse / el viaje

¿Cuánto sabes tú?

13-44 No tenían mucha esperanza. Change the sentences that you hear to the imperfect subjunctive. Then listen and repeat as the speaker gives the correct answer.

Modelo: You hear: El gobierno aprueba la ley de reciclaje.

You write and say: *No creían que el gobierno aprobara la ley de reciclaje.*

1. No _____.

2. No _____.

3. No _____.

13-45 ¿Quién se entera de qué? Answer the questions that you hear negatively using the cues provided. Then listen and repeat as the speaker gives the correct answer.

Modelo: You hear: ¿El concurso es nuestro?
You see: yo
You say: *No, el concurso no es nuestro, es mío.*

1. ella

2. nosotras

3. yo

4. él

422 ¡Arriba! Workbook/Lab Manual © 2005 Pearson Education, Inc.

13-46 Si yo fuera directora... Tell your friend what would happen if you became a film director. Form sentences using the cues provided. Then listen and repeat as the speaker gives the correct answer.

1. mi familia y yo / vivir / Hollywood

2. mis productoras / darme / mucho dinero

3. yo / filmar / solamente / lugares exóticos

4. tú / comer / conmigo / restaurantes muy famosos

5. yo / tratar de ayudar / las personas / no tener / casa

13-47 ¡El señor dudoso! Listen to the following questions and fill in the blanks with the correct form, mood, and tense of the verbs in parentheses. Then listen and repeat as the speaker gives the correct answer.

MODELO: You hear: ¿Crees que los anuncios clasificados son inútiles?
You write and say: *Dudo que sean inútiles. Si fueran inútiles, no tendríamos tantos anuncios en los periódicos.*

1. Dudo que el televisor (estar) _____ encendido. Si (estar)

_____ encendido, no (haber) _____ tanto silencio.

2. Dudo que (representar) _____ la verdad. Si la (representar)

_____, no (haber) _____ tantos periódicos.

3. Dudo que (pagar) _____ poco. Si (pagar) _____ poco, (ver)

_____ más anuncios comerciales en la televisión.

14 ¡Seamos cultos!

Workbook

PRIMERA PARTE

¡Así es la vida!

14-1 ¿Recuerdas? Reread the paragraphs in **¡Así es la vida!** on page 472 of your textbook and indicate whether each statement is **cierto (C)** or **falso (F)**.

C   F   1. Celedonio Romero es el patriarca de "la familia real de la guitarra española".

C   F   2. Los padres de Celedonio fueron grandes músicos.

C   F   3. Sus hijos también se han destacado en el mundo de la música.

C   F   4. El Cuarteto Romero fue fundado en Málaga, España.

C   F   5. La crítica internacional ha apreciado la música de los Romero.

C   F   6. Celedonio empezó a tocar la guitarra cuando tenía tres años.

C   F   7. Según Celino, las clases de música no son importantes para aprender.

C   F   8. Celino aprendió música de su tío y de su abuelo.

C   F   9. Celino tocó la guitarra con Pink Floyd y Led Zeppelin.

C   F   10. Pepe, miembro de la familia Romero, fabrica guitarras que pueden costar más de $7.000.

¡Así lo decimos! Vocabulario

14-2 ¡A completar! Complete the following statements with a word from the word bank. Make changes when necessary.

aplaudir   audición   bajo   diva   ensayar   escenario   músicos   repertorio

1. Si el tenor cantara bien, el público lo _____ mucho.

2. El _____ musical de Plácido Domingo es muy extenso.

3. Yo no tengo miedo de cantar en el _____ de ese teatro.

4. La solista es una verdadera _____ de la ópera.

5. Antes de poder cantar en el teatro, necesito tener una _____.

6. La orquesta tendrá que _____ por dos semanas antes de que comience la

   ópera.

7. Un sexteto está compuesto de seis _____.

8. Un cantanate que tiene la voz grave cuando canta es un _____.

14-3 Definiciones. Match each definition on the left with its corresponding word.

1. _____ persona que escribe música   a. gira

2. _____ persona que dirige una orquesta   b. banda

3. _____ mujer que canta en una ópera   c. compositor/a

4. _____ conjunto de conciertos en diferentes ciudades   d. director/a

5. _____ grupo musical compuesto por varios músicos   e. soprano

14-4 ¡A escribir! Now write a sentence for each word from the activity **14-3.**

1. _____

2. _____

3. _____

4. _____

5. _____

14-5 ¡Fuera de lugar! Select the word in each group that is out of place.

1. a. viola   b. violín   c. batería

2. a. trombón   b. maracas   c. trompeta

3. a. clarinete   b. batería   c. tambor

4. a. arpa   b. acordeón   c. guitarra

5. a. sexteto   b. gira   c. cuarteto

¡Así lo hacemos! Estructuras

1. *Hacer* in time expressions

14-6 El tiempo vuela. Write sentences with **hace que** and the cues provided to find out how things happened some time ago.

Modelo: Son las cuatro. El director / llegar / a las dos
Hace dos horas que llegó el director.

1. Hoy es sábado. La orquesta / ensayar / el viernes

   _____

2. Son las cinco. La ópera / comenzar / a las cuatro

   _____

3. Son las ocho. El tenor / cantar / a las tres

   _____

4. Hoy es el 20 de agosto. La audición / terminarse / el 20 de julio

   _____

5. Hoy es martes. El compositor / componer / la pieza / el sábado

   _____

6. Hoy es el 3 de mayo de 2004. La banda / tocar / el 3 de mayo de 2003

   _____

7. Hoy es martes. La comedia / representarse / el viernes

   _____

8. Son las nueve. El músico / traer / la guitarra / a las ocho y media

   _____

14-7 ¿Cuánto tiempo hace? Use the cues in parentheses to answer each of the following questions.

1. ¿Cuánto tiempo hace que no vas a un concierto? (un día)

   _____

2. ¿Hace cuánto que no escuchas una sinfonía? (un mes)

   _____

3. ¿Hace cuánto que buscas boletos para la ópera? (un año)

   _____

4. ¿Cuánto tiempo hace que no has visto una comedia musical? (dos días)

   _____

5. ¿Hace cuánto que estás haciendo cola (*standing in line*)? (mucho tiempo)

   _____

6. ¿Cuánto tiempo hace que compones esta pieza? (dos semanas)

   _____

7. ¿Cuánto tiempo hace que tocas el piano? (cinco años)

   _____

8. ¿Hace cuánto tiempo que asistes a las funciones? (tres años)

   _____

14-8 La enfadada. Complete Mabel's explanation with the verbs in parentheses.

Son las tres y media de la tarde y (1. hacer) _____ más de una hora que yo

(2. esperar) _____ a Eduardo. (3. hacer) _____ media hora que

(4. peinarse) _____ en su casa. En quince minutos

(5. empezar) _____ el concierto. (6. hacer) _____ más de un

mes que quiero verlo. Si Eduardo no (7. llegar) _____ pronto, nosotros

(8. ir) _____ a llegar tarde. Él siempre me (9. decir) _____ que

(10. tener) _____ que esperar por mí, pero esta vez

(11. hacer) _____ más de una hora que yo lo

(12. esperar) _____ .

2. The pluperfect indicative

14-9 Nunca antes. Fill in the blanks with the pluperfect indicative to complete negative statements that tell what these people had never done before.

MODELO: Andrés / comprar / boletos / para la ópera
Andrés nunca antes había comprado boletos para la ópera.

1. Carlos / visitar / un teatro

   Carlos nunca antes _____ un teatro.

2. nosotros / conocer / a una diva

   Nosotros nunca antes _____ a una diva.

3. Herminio / ver / una comedia musical

   Herminio nunca antes _____ una comedia musical.

4. los músicos / ensayar / esa pieza

   Los músicos nunca antes _____ esa pieza.

5. la diva / ponerse / un traje feo

   La diva nunca antes _____ un traje feo.

6. el compositor / componer / una sinfonía

   El compositor nunca antes _____ una sinfonía.

7. los tenores / enfermarse

   Los tenores nunca antes _____.

8. el director / abrir / el teatro / por la mañana

   El director nunca antes _____ el teatro por la mañana.

14-10 ¿Qué pasó? Using the cues provided, write complete sentences in the past tense to describe the problems these people had. Use the preterit in the first half of each sentence and the pluperfect in the second half. Add any necessary words and make any needed changes.

MODELO: cuando / nosotros / recibir / la invitación // ya / empezar / concierto
Cuando nosotros recibimos la invitación, ya había empezado el concierto.

1. cuando / yo / llegar / teatro // mis amigos / ya / sentarse

   _____

   _____

Capítulo 14 ¡Seamos cultos!   **429**

2. cuando / el director / regresar // el coro / ya / cantar

_____

_____

3. cuando / Luis / comprar / entradas // Pedro / ya / conseguir

_____

_____

4. cuando / el tenor / improvisar / pieza // ya / el bajo / ensayar

_____

_____

5. cuando / la soprano / cantar // público / ya / aplaudir

_____

_____

6. cuando / nosotros / volver // la comedia / ya / terminarse

_____

_____

7. cuando / tú / traer / guitarra // ya / sexteto / tocar

_____

_____

8. cuando Ramón y tú / visitar / teatro // yo / ya / hablar / con Plácido

_____

_____

SEGUNDA PARTE

¡Así es la vida!

14-11 ¿Cierto o falso? Reread the article in **¡Así es la vida!** on page 483 of your textbook and indicate whether each statement is **cierto (C)** or **falso (F).**

C   F   1. Carolina Herrera es una importante figura del *jet-set* internacional.

C   F   2. Se puede comparar a Carolina Herrera con Donatella Versace.

C   F   3. La familia de Carolina era humilde y de la clase trabajadora venezolana.

C   F   4. Carolina Herrera sólo diseña para mujeres en Nueva York, India y México.

C   F   5. Según Carolina, el estilo latino es recargado.

C   F   6. Además de ser un perfume de Carolina Herrera, 212 es el código de teléfono de Nueva York.

C   F   7. Hace quince años que Carolina Herrera es diseñadora.

C   F   8. Carolina diseña desde trajes para el día hasta trajes de novia.

C   F   9. Carolina Herrera sólo es famosa en Latinoamérica.

C   F   10. Carolina diseña ropa para la mujer sencilla de todo el mundo.

¡Así lo decimos! Vocabulario

14-12 ¡A completar! Complete the following statements with a word or expression from the word bank. Make changes when necessary.

bien hecha   diseñadora   modelo   sencillez

desfile de modas   disfraces   prenda   tela

1. La _____ tenía puesto un vestido diseñado por Carolina Herrera.

2. Carolina Herrera es _____.

3. Nuestros _____ de Halloween dan miedo.

4. El esmoquin es una _____ de vestir.

5. Esta tarde mi novia irá a un _____ para ver los nuevos estilos.

6. La _____ en el modo de vestir es muy importante.

7. La ropa de Carolina Herrera está muy _____.

8. La gabardina es una _____.

14-13 ¡A escoger! Choose the adjective that best completes each of the following sentences.

1. Ella tiene mucha gracia y es finísima. Es una persona _____.

   a. indispensable   b. fastuoso   c. encantadora

2. Su esmoquin es formal y muy _____.

   a. elegante   b. indispensable   c. mundana

3. El baile de disfraces fue muy _____.

   a. indispensable   b. fastuoso   c. encantadora

4. Hablar español es _____ en el mundo de hoy.

   a. informal   b. indispensable   c. elegante

5. Por favor, no se ponga ropa _____ para la boda de mi hermana.

   a. extravagante   b. bien hecho   c. mundano

6. Federico habla cuatro idiomas y le encanta viajar. Es _____.

   a. elegante   b. mundano   c. informal

7. Su blusa es de algodón, cuesta poco y es muy _____.

   a. encantador   b. mundano   c. extravagante

14-14 Cuestionario. Answer each of the following questions with a complete sentence in Spanish.

1. Para ti, ¿qué significa estar de moda?

   _____

   _____

2. ¿Cuáles son tus telas favoritas? Explica.

   _____

   _____

3. ¿Prefieres lo sencillo o lo fastuoso en cuestiones de moda? ¿Por qué?

   _____

   _____

4. ¿Qué harías tú si te invitaran a una fiesta formal y no tuvieras la prenda de vestir adecuada?

   _____

   _____

5. ¿Te gustaría ser diseñador/a de modas? Da tus razones.

   _____

   _____

¡Así lo hacemos! Estructuras

3. The pluperfect subjunctive and the conditional perfect

14-15 ¡A cambiar! Change the following statements from the present to the past. Follow the model.

MODELO: Dudo que haya vuelto la diseñadora.
             Dudaba que hubiera vuelto la diseñadora.

1. Es probable que haya tenido un esmoquin.

   _____ probable que _____ un esmoquin.

2. No creo que la modelo haya trabajado allí.

   No _____ que la modelo _____ allí.

Nombre: _____ Fecha: _____

3. Dudamos que la costurera haya hecho el vestido.

   _____ que la costurera _____ el vestido.

4. Esperas que no hayan vendido todas las blusas de rayón.

   _____ que no _____ todas las blusas de rayón.

5. Siento que no hayas conseguido un vestido de lentejuelas.

   _____ que no _____ un vestido de lentejuelas.

6. Esperan que tú ya hayas visto el sombrero de pana.

   _____ que tú ya _____ el sombrero de pana.

7. No creo que José y tú hayan abierto un negocio de alta costura.

   No _____ que José y tú _____ un negocio de

   alta costura.

8. Es probable que hayan traído un disfraz a la fiesta.

   _____ probable que _____ un disfraz a la fiesta.

9. Es imposible que su hermano haya conocido a Carolina.

   _____ imposible que su hermano _____ a Carolina.

10. Tengo miedo que las chicas no se hayan puesto el abrigo.

   _____ miedo que las chicas no se _____ el abrigo.

14-16 ¡Ojalá que! Imagine that you wish that some things that happened would never have occurred. Use the pluperfect subjunctive of the verbs in parentheses.

1. Ojalá que no (morir) _____ tantos animales para hacer abrigos de piel.

2. Ojalá que los diseñadores no (diseñar) _____ tantos artículos de piel.

3. Ojalá que muchos diseñadores no (ser) _____ tan irresponsables.

4. Ojalá que los desfiles de moda no (estar) _____ tan fastuosos.

5. Ojalá que las tiendas no (vender) _____ nunca sombreros de piel.

6. Ojalá que nosotros no (vivir) _____ en un mundo tan superficial.

7. Ojalá que las fábricas de tela no (echar) _____ deshechos en los ríos.

8. Ojalá que los científicos no (inventar) _____ artículos de poliéster.

Nombre: _____ Fecha: _____

14-17 Cambios y más cambios. Change the tenses in the following statements, which show contrary-to-fact situations to the perfect tense. Follow the model.

MODELO: Si me regalaran un abrigo de piel, lo devolvería.
Si me hubieran regalado un abrigo de piel, lo habría devuelto.

1. Si fuera una camisa de algodón, la compraría.

   Si _____ una camisa de algodón, la _____.

2. Si la modelo quisiera salir conmigo, la invitaría.

   Si la modelo _____ salir conmigo, la _____.

3. Si tuviera dinero, iría al desfile de moda.

   Si _____ dinero, _____ al desfile de moda.

4. Si tuviera talento, sería diseñador/a.

   Si _____ talento, _____ diseñador/a.

5. Si fuera rico/a, tendría un imperio.

   Si _____ rico/a, _____ un imperio.

6. Si pudiera, haría una campaña en contra de los abrigos de piel.

   Si _____, _____ una campaña en contra de los

   abrigos de piel.

14-18 Si yo hubiera sido... Say what you would have done by completing the following statements with the pluperfect subjunctive or the conditional perfect.

1. Si yo hubiera sido modelo, _____

   _____.

2. Si yo hubiera sido diseñador/a, _____

   _____.

3. Si yo hubiera sido costurero/a, _____

   _____.

4. Si yo hubiera sido una persona más divertida, _____

   _____.

5. Si yo hubiera sido una persona más superficial, _____

_____ .

Nuestro mundo

Panoramas

14-19 ¡A informarse! Based on the information from **Nuestro mundo** on pages 492–493 of your textbook, decide if the following statements are **cierto (C)** or **falso (F).**

1. El arte moderno hispano no tiene renombre internacional.

2. Santiago Calatrava diseña exclusivamente edificios públicos.

3. Santiago Calatrava es un ejemplo de estilo clásico.

4. Calatrava es uno de los arquitectos seleccionados para el nuevo *World Trade Center.*

5. Salvador Dalí es uno de los artistas más influyentes.

6. La estética es la principal preocupación de Oswaldo Guayasamín en su obra.

7. Fernando Botero se dedica exclusivamente a la escultura.

8. Las figuras de Botero se destacan por su tamaño y voluptuosidad.

9. Las obras de Botero se han exihibido exclusivamente en Colombia.

10. María de Mater O'Neill refleja los colores caribeños en su pintura.

14-20 Tu propia experiencia. Using the Internet and library resources, research a foundation or art exposition dedicated to an Hispanic artist in the U.S. Write about the artist, what is being exhibited, and the public reaction to the foundation or exposition.

_____

_____

_____

_____

_____

Taller

14-21 El arte para mí. Make a list of the one or two art forms that interest you most (paintings, sculpture, architecture, fashion design, literature, etc.). Describe in Spanish the art form and why it interests you. Who are some of your favorite artists (designers, composers, etc.), and what are some of your favorite works?

_____

_____

_____

_____

_____

14-22 La ropa que llevamos. Who's responsible for the clothing designs that are in style today? Using the Internet or library resources, look up information on today's styles. Are any of the designers Hispanic? Make a list of at least four current styles and describe them in Spanish. List designers, when possible.

_____

_____

_____

_____

_____

14-23 Más allá de las páginas: Lo real maravilloso. The stories of Enrique Anderson Imbert, like the works by many Latin American authors since the 1940s, have what some call an element of **lo real maravilloso.** The Cuban novelist, Alejo Carpentier, coined the phrase **lo real maravilloso** in an effort to express events of everyday life together with the marvelous nature of Latin American geography and history. Gabriel García Márquez says that it's the way his grandmother used to tell him stories. The real seems to slip into fantasy, often very subtly and matter-of-factly. Write a simple description, in Spanish, of something that happened to you. After you complete the paragraph, alter one sentence or outcome to add a touch of **lo real maravilloso** to the description.

MODELO: *¡Hacía tanto calor que me moría! Mi maestra me había dicho que el color negro atraía el calor y eso me dio una idea. Construí una caja de madera y adentro la pinté de negro. Al día siguiente, salí con mi caja y la abrí, apuntándola hacia el sol. Pero ¡nada! Otro día horrible. Esa noche, entré a la casa enojada con mi caja y la puse en la mesa. Cuando mi hermanito la abrió, gritó y vi, horrorizada, que tenía la cara quemada...*

_____

_____

_____

_____

_____

_____

_____

_____

¿Cuánto sabes tú?

14-24 ¿Sabes usar *hacer* con las expresiones temporales? Fill in the blanks with the appropriate form of verbs in parentheses.

1. ¿Cuánto tiempo hace que no ves a tu primo?

   (Hacer) _____ dos años que no (ver) _____ a mi primo.

2. Tu primo es actor, ¿verdad?

   Sí, (hacer) _____ dos años que (ser) _____ actor.

3. ¿Cuándo se mudaron tus tíos a Los Ángeles?

   (Hacer) _____ cinco años que (vivir) _____ en Los Ángeles.

4. ¿Conoce tu primo a gente importante?

   Sí, (hacer) _____ tres años, en un estudio de cine, (conocer)

   _____ a Antonio Banderas.

5. ¿Cuándo tuvo su primer papel importante?

   (Hacer) _____ cuatro años que (hacer) _____ su primera

   película.

14-25 ¿Sabes usar el pluscuamperfecto de indicativo? Fill in the blanks with the appropriate pluperfect form of the verbs in parentheses.

1. Antes de Pedro Almodóvar, nunca me (interesar) _____ por el cine español.

2. Antes de Almodóvar, nosotros sólo (ver) _____ cine americano.

3. Antes de *Habla con ella*, Almodóvar ya (hacer) _____ muchas películas.

4. Antes del Óscar de Almodóvar, el cine español ya (ganar) _____ otros dos premios de la Academia.

5. Carlos Saura y Fernando Trueba ya (ser) _____ galardonados con el Óscar a la mejor película extranjera.

14-26 ¿Sabes usar el pluscuamperfecto de subjuntivo y el condicional perfecto? In the following examples, choose the appropriate verb tense to complete the sentences.

1. Si nosotros _____, no habríamos encontrado boletos.

   a. hubiéramos ido   b. habríamos ido   c. habíamos ido

2. Si el actor hubiera interpretado mejor su papel, la película _____ mejor.

   a. había sido   b. hubiera sido   c. habría sido

3. El público _____ si el cantante hubiera cantado bien.

   a. hubiera aplaudido   b. habría aplaudido   c. había aplaudido

4. Juanjo habría coseguido ser parte del coro si él _____ a la audición.

   a. se hubiera presentado   b. se habría presentado   c. se había presentado

5. Ojalá la gira del tenor _____ por mi ciudad.

   a. había pasado   b. habría pasado   c. hubiera pasado

Lab Manual

PRIMERA PARTE

¡Así es la vida!

14-27 ¡A la ópera! As you listen to the following conversation, select the letters for all statements that are correct, according to what you hear. Listen to the conversation as many times as is necessary to find all the correct answers.

1. Antonio...

   a. cree que Catalina está enferma.

   b. es alto.

   c. tiene un auto.

2. Catalina está...

   a. entusiasmada.

   b. nerviosa.

   c. enfadada.

3. El señor Villamar...

   a. quiere que Antonio y Catalina se diviertan.

   b. quiere que ellos vuelvan muy tarde.

   c. se despide de ellos.

4. Catalina y Antonio...

   a. han llegado tarde.

   b. conversan antes de que empiece la ópera.

   c. se preocupan por el tiempo.

5. Catalina está preocupada...

   a. por la cantidad de luces.

   b. por el vestido que lleva.

   c. por entender las palabras.

6. Durante el intermedio, ellos...

   a. hablan de cuánto les gusta la ópera.

   b. ya quieren irse.

   c. compran refrescos para beber durante el segundo acto.

¡Así lo decimos! Vocabulario

14-28 ¿Qué es eso? Choose the word or expression that best completes each sentence that you hear. Then listen and repeat as the speaker gives the correct answer.

1. a. aplaudir

   b. componer

   c. ensayar

2. a. improvisar

   b. representarse

   c. el acto

3. a. sinfonía

   b. gira

   c. bajo

4. a. la solista

   b. el escenario

   c. la batería

5. a. el compositor

   b. el director

   c. el músico

6. a. el saxofón

   b. el violín

   c. la trompeta

¡Así lo hacemos! Estructuras

1. *Hacer* in time expressions

14-29 ¿Habrá espectáculo o no? Describe how long something has been going on using the cues provided and a form of **hacer.** Then listen and repeat as the speaker gives the correct answer.

MODELO: You see: tres días / la diva / no poder / cantar
            You say: *Hace tres días que la diva no puede cantar.*

1. dos semestres / (nosotros) componer / la música

2. una semana / la directora / estar / enferma

3. tres horas / peinarte / el pelo

4. más de media hora / Julia y Paco / hablar / por teléfono

5. cuatro días / (yo) no vender / ni un boleto

14-30 ¿Hace cuánto tiempo que...? Describe how long ago something happened by answering the questions you hear using the cues provided and a form of **hacer.** Then listen and repeat as the speaker gives the correct answer.

MODELO: You hear: ¿Hace cuánto tiempo que compraste los boletos?
You see: dos días
You say: *Hace dos días que compré los boletos.*

1. tres años

2. una hora

3. quince días

4. diez minutos

5. seis horas

2. The pluperfect indicative

14-31 Nunca había hecho eso durante una gira. Form sentences using the pluperfect tense and the cues provided. Then listen and repeat as the speaker gives the correct answer.

MODELO: You see: ella / nunca / cantar / en Nueva York
You say: *Ella nunca había cantado en Nueva York.*

1. ellas / nunca / estar / en este país

2. tú / nunca / arreglar / un clarinete

3. él / nunca / recibir / tanto aplauso

4. nosotras / nunca / hacer / las camas del hotel

5. yo / nunca / cantar / un aria / tan larga

14-32 Antes de la gira. Form sentences using the pluperfect tense and the cues provided. Then listen and repeat as the speaker gives the correct answer.

MODELO: You see: la diva / ya / cantar / el aria
You say: *La diva ya había cantado el aria.*

1. yo / ya / terminar / los ejercicios

2. Ana / ya / escribir / el artículo

3. Paco / nunca / estar / en México

4. tú / solamente / cantar / en comedias musicales

5. antes de este año / mis padres / nunca / viajar / por avión

SEGUNDA PARTE

¡Así es la vida!

14-33 La alta costura. As you listen to the following conversation, select the letters for all statements that are correct, according to what you hear. Listen to the conversation as many times as is necessary to find all the correct answers.

1. El desfile de modas es...

   a. dentro de una semana.

   b. a la una y media.

   c. el primero de la estación.

2. El primer conjunto es...

   a. un vestido de tul.

   b. simple.

   c. un vestido de terciopelo.

3. El diseñador quiere...

   a. viajar a Milán.

   b. ver los conjuntos.

   c. añadir una falda.

4. Marguelita quiere...

   a. más dinero.

   b. que el esmoquin sea de cuero.

   c. que Óscar no coma tanto.

5. Óscar...

   a. puede ponerse el esmoquin.

   b. tiene una cita con Calvin Klein.

   c. tuvo problemas en Milán.

6. Pablo...

   a. ha comido demasiado.

   b. querría estar en Milán con Óscar.

   c. no debería haberse puesto el esmoquin.

¡Así lo decimos! Vocabulario

14-34 ¿Qué es eso? Choose the word or expression that best completes each sentence that you hear. Then listen and repeat as the speaker gives the correct answer.

1. a. el conjunto

   b. el disfraz

   c. el esmoquin

2. a. la diseñadora

   b. la modelo

   c. la gabardina

3. a. el poliéster

   b. la piel

   c. la pana

4. a. encantadora

   b. terciopelo

   c. prenda

5. a. estar de moda

   b. el modo

   c. el desfile de moda

¡Así lo hacemos! Estructuras

3. The pluperfect subjunctive and the conditional perfect

14-35 Estamos preocupados por el medio ambiente. Change the sentences that you hear to the pluperfect subjunctive. Then listen and repeat as the speaker gives the correct answer.

MODELO: You hear: ¡Ojalá tenga energía!
          You write and say: *¡Ojalá hubiera tenido energía!*

1. ¡Ojalá _____!

2. ¡Ojalá _____!

3. ¡Ojalá _____!

14-36 Lo que esperaba la gente. Form sentences using the cues provided. Then listen and repeat as the speaker gives the correct answer.

MODELO: You see: nosotros / empezar / un programa de las artes
          You say: *La gente esperaba que nosotros hubiéramos empezado un programa de las artes.*

1. usted / diseñar / más vestidos de boda

2. yo / cantar / mejor / en la ópera

3. tú / solucionar / el problema

14-37 ¿Por qué me enfermé? Tell what would have occurred to the following people if they had not been sick. Then listen and repeat as the speaker gives the correct answers.

MODELO: You see: ellos / empezar / el desfile de moda
          You say: *Ellos habrían empezado el desfile de moda.*

1. yo / tocar / la trompeta en el concierto

2. tú / ir a visitar / al diseñador

3. los modelos / controlar / el horario de trabajo

4. nosotros / hacer / más pantalones de cuero

5. usted / ver / más del desfile de moda

14-38 La ópera habría sido mejor... Change the sentences that you hear to reflect contrary-to-fact conditions in the past. Then listen and repeat as the speaker gives the correct answer.

MODELO: You hear: Si la diva tiene un nuevo vestido, la ópera es mejor.
                You write and say: *Si la diva hubiera tenido un nuevo vestido, la ópera habría sido mejor.*

1. Si _____ .   4. Si _____ .

2. Si _____ .   5. Si _____ .

3. Si _____ .

¿Cuánto sabes tú?

14-39 En la oficina del diseñador. Explain why you and your acquaintances did not follow a certain course of action using the cues provided. Then listen and repeat as the speaker gives the correct answer.

MODELO: You see: yo / solicitar el puesto / (yo) / no tener experiencia
                You say: *Yo habría solicitado el puesto, pero no tenía experiencia.*

1. (nosotros) / escribir las cartas de recomendación / (nosotros) / no tener tiempo.

2. yo / despedir al secretario / él / no cometer el error

3. los Ramírez / contratar a la arquitecta / ella / querer un sueldo fijo

4. yo / pedir un aumento / (yo) / temer perder el puesto

5. ustedes / ascender al nuevo contador / él / marcharse a otra compañía

14-40 Sugerencias de una soprano famosa y vieja. Change the sentences that you hear to reflect contrary-to-fact conditions in the past. Then listen and repeat as the speaker gives the correct answer.

MODELO: You hear: Si enciendo el fax, consumo energía.
                You write and say: *Si hubiera encendido el fax, habría consumido energía.*

1. Si _____ .

2. Si _____ .

3. Si _____ .

15   ¿Te gusta la política?

Workbook

PRIMERA PARTE

¡Así es la vida!

15-1 ¿Recuerdas? Reread the interview in **¡Así es la vida!** on page 502 of your textbook, and choose the correct answer for each question.

1. ¿Qué ocurrió en diciembre de 1987?

   a. se acabaron las guerras en América Central

   b. Óscar Arias recibió el Premio Nóbel de la Paz

   c. Óscar Arias fundó la Fundación Arias para la Paz y el Progreso Humano

2. ¿Cómo continúa su labor humanitaria el doctor Arias?

   a. con entrevistas   b. con visitas a varios países   c. con la Fundación Arias

3. ¿Cuál es el proyecto más importante para el doctor Arias?

   a. conocer a otros Premios Nóbel de la Paz

   b. controlar el tráfico de armas a países en desarrollo

   c. ganar el Premio Nóbel otra vez

4. ¿Para qué hizo el doctor Arias un llamamiento a otros Premios Nóbel de la Paz?

   a. para apoyar un acuerdo internacional

   b. para que conocieran América Central

   c. para hablar de sus premios

5. ¿Cuál el es el objetivo del acuerdo?

   a. la paz mundial   b. el control del hambre   c. el control del comercio de armas

6. ¿Qué es la Convención Marco?

   a. la reunión de todos los Premios Nóbel de la Paz

   b. un tratado sobre la transferencia de armas a nivel internacional

   c. otro nombre para la Fundación Arias

7. ¿Qué prohíbe la convención?

   a. el uso de armas en lugares públicos   c. el tráfico de armas

   b. comprar armas a los menores

8. ¿Cómo se puede conseguir más información sobre la convención?

   a. a través de la Red informática   b. a través del correo   c. a través de correo electrónico

¡Así lo decimos! Vocabulario

15-2 ¡A completar! Complete the following statements with words or expressions from the word bank. Make changes when necessary.

abolir	ciudadano	ejército	firmar	pacifista
armas	conflicto	esfuerzo	fortalecer	pobreza

  1. El _____ de China es muy grande.

  2. Óscar Arias es _____ porque quiere la paz mundial.

  3. Hay que _____ las leyes contra el tráfico de armas.

  4. Los EE.UU. tienen muchas _____ nucleares.

  5. Es importante _____ los gobiernos opresivos.

  6. Hay que hacer un mayor _____ para entender a otros países.

  7. Los _____ tienen el derecho de expresar su opinión.

  8. Muchos países invierten en el ejército y los ciudadanos viven en la _____.

  9. Los _____ armados no ayudan a la paz mundial.

  10. Hay que lograr que los países en guerra puedan _____ la paz.

15-3 ¡A escribir! Write a complete sentence using each of the following verbs.

1. abolir: _____

_____

2. fortalecer: _____

_____

3. lograr: _____

_____

4. procurar: _____

_____

5. promover: _____

_____

6. violar: _____

_____

15-4 Preguntas personales. Answer each of the following questions with a complete sentence in Spanish.

1. ¿Cómo crees que puede haber paz mundial?

_____

_____

2. ¿Cuáles son algunos de los derechos humanos?

_____

_____

3. ¿Qué harías para erradicar la pobreza?

_____

_____

4. ¿Crees que los países deben abolir los ejércitos? Explica.

_____

_____

5. ¿Por qué hay conflictos entre los seres humanos?

_____

_____

¡Así lo hacemos! Estructuras

1. The subjunctive with indefinite and nonexistent antecedents

15-5 ¡A cambiar! Rewrite the following sentences using the subjunctive to describe an indefinite person or object.

MODELO: Quiero hablar con el señor que quiere la paz.
Quiero hablar con un señor que quiera la paz.

1. Busco el editorial que promueve la democratización.

   Busco un editorial que _____ la democratización.

2. ¿Conoces al político que quiere terminar con la pobreza?

   ¿Conoces un político que _____ terminar con la pobreza?

3. Hay alguien en la empresa que yo conozco.

   No hay nadie en la empresa que yo _____.

4. Busco a la comisión que firma los documentos.

   Busco una comisión que _____ los documentos.

5. Queremos al ejército que no viola los derechos humanos.

   Queremos un ejército que no _____ los derechos humanos.

6. ¿Buscas al activista que procura la desmilitarización?

   ¿Buscas un activista que _____ la desmilitarización?

7. Necesito al secretario que entiende la resolución.

   Necesito un secretario que _____ la resolución.

8. ¿Conoces al activista que logra sus objetivos?

   ¿Conoces un activista que _____ sus objetivos?

15-6 Situaciones. Complete the following statements with the subjunctive or indicative form of the verbs in parentheses.

1. Nuestro país tiene un guerrero (*warrior*) que (ser) _____ valiente, pero

   necesitamos unos guerreros que (ser) _____ más valientes.

2. Conozco al activista que (trabajar) _____ mucho, pero queremos un

   activista que (poder) _____ hacer más.

3. No hay ningún político que (tener) _____ buenos programas. Hay muchos

   que no (ser) _____ muy buenos.

4. Hay muchos ciudadanos que (parecer) _____ decisivos (*decisive*). Buscamos

   un ciudadano que (querer) _____ ser decisivo.

5. Éste es el líder (*leader*) que (respetar) _____ los derechos humanos.

   Queremos un líder que no (violar) _____ los derechos humanos.

6. Conozco al presidente que (eliminar) _____ la pobreza. Buscamos un

   presidente que (hacer) _____ eso.

7. ¿Hay algún país que (querer) _____ abolir el ejército? No, no hay ningún

   país que (poder) _____ hacerlo.

8. ¿Conoces al líder que (estar) _____ contento con sus esfuerzos? No, no

   conozco ningún líder que (estar) _____ contento con sus esfuerzos.

9. Conozco al general que (preferir) _____ el desarme. No hay ningún general

   que (lograr) _____ el desarme.

10. Necesitamos un presidente que (resolver) _____ los problemas del país. No

    hay nadie aquí que (lograr) _____ hacerlo.

Nombre: _____ Fecha: _____

15-7 Los ciudadanos. Rewrite the following paragraph about the citizens' search for a qualified leader, using the appropriate form of the verbs in parentheses.

Nosotros somos ciudadanos de un país en desarrollo. Buscamos un líder que

(1. ser) _____ honesto, que (2. tener) _____ buenas ideas y que

(3. poder) _____ resolver nuestros problemas. ¿Sabes dónde hay un líder que

(4. tener) _____ estas calificaciones y que (5. querer) _____

ayudarnos?

15-8 Anuncios. You are a newspaper publisher and you need to fill some positions. Write ads, using the information given.

MODELO: buscar reportera: hablar español e inglés, saber escribir bien, ser simpático
           Se busca una reportera que hable español e inglés, que sepa escribir bien y que sea simpática.

1. necesitar editorialista: ser decisivo, promover el diálogo, lograr nuestros objetivos

   _____

   _____

2. buscar comentarista: tener contacto con los ciudadanos, promover nuestras ideas, procurar llevar nuestro mensaje al pueblo

   _____

   _____

3. solicitar secretaria: hablar bien en público, ser inteligente, llevarse bien con los otros

   _____

   _____

4. necesitar vendedores: poder vender anuncios, creer en nuestro periódico, querer mejorar las ventas

   _____

   _____

5. necesitar artista: poder ilustrar bien, diseñar nuevos diseños, tener nuevas ideas

   _____

   _____

2. The relative pronouns *que, quien,* and *lo que*

15-9 Una conversación. Two friends are having a conversation. Complete their conversation, using the relative pronouns **que, quien,** or **lo que.**

Jorge: Allí está el líder con (1) _____ quiero hablar.

Joaquín: No sabía (2) _____ lo conocías.

Jorge: No, no lo conozco, pero sé (3) _____ es honesto.

Joaquín: ¿Sabes (4) _____ está medio loco?

Jorge: Dicen eso, pero sus ideas son (5) _____ me gusta.

Joaquín: A mí también me gustan sus ideas, pero (6) _____ no me gusta es el

consejero (7) _____ está con él.

Jorge: Y ¿quién es?

Joaquín: Es un señor (8) _____ es muy corrupto.

Jorge: El consejero no me importa; (9) _____ me importa es el líder.

15-10 El líder tímido. The reluctant leader needs help with his program. Complete the paragraph with the appropriate relative pronoun **que, quien(es),** or **lo que.**

Nuestro líder es muy inteligente. (1) _____ pasa es (2) _____

es un poco tímido. (3) _____ menos le gusta es hablarle al pueblo. Por eso,

(4) _____ tiene que hacer es pedir ayuda. Sus consejeros, en

(5) _____ él confía y (6) _____ tienen sus mismas ideas, lo

ayudan mucho y le dicen (7) _____ tiene que hacer. Ellos le aconsejan

(8) _____ sea menos tímido y (9) _____ siempre les diga la

verdad. Es muy importante (10) _____ nuestro líder los escuche y,

(11) _____ (12) _____ haga, lo haga bien.

SEGUNDA PARTE

¡Así es la vida!

15-11 La política. Reread the speech in **¡Así es la vida!** on page 514 of your textbook. Then decide if the following statements are **cierto (C)** or **falso (F).**

C F 1. Ernesto Vidal es candidato a la presidencia de la República de Villamayor.

C F 2. Ernesto Vidal lee su discurso de un papel.

C F 3. La República de Villamayor afronta una reforma de la constitución.

C F 4. Ernesto Vidal duda que Ricardo Murillo sea un buen vicepresidente.

C F 5. Ernesto Vidal hace muchas promesas.

C F 6. Ernesto Vidal promete aumentar los impuestos.

C F 7. Ernesto Vidal promete combatir el crimen.

C F 8. Ernesto Vidal promete un país genial.

¡Así lo decimos! Vocabulario

15-12 ¡A completar! How well can you discuss politics and government? Complete the following statements with a word from the word bank.

alcalde	campañas	deber	discursos	juez	monarquía
asesora	contrincantes	dictador	elecciones	leyes	presidente

1. En una democracia, el _____ es el líder del país.

2. Una mujer que le da consejos al presidente es su _____.

3. El _____ es el líder de una ciudad o de un pueblo.

4. La _____ trabaja en una corte (*court*) y decide cuestiones relacionadas con

   las _____.

5. Los candidatos hacen _____ elocuentes (*eloquent*) en los que atacan (*attack*)

   a sus _____.

6. Al líder de una dictadura se le llama el _____.

7. En los EE.UU. las _____ presidenciales son en noviembre.

8. Antes de las elecciones, siempre hay _____ políticas.

9. El _____ de un gobernador es servir al pueblo.

10. Los países que tienen rey o reina son una _____.

15-13 Un editorial. What position does Villamayor's leading editorialist take about the upcoming elections? To find out, complete the editorial. Use the present subjunctive, the present indicative, or the infinitive form of each verb, as necessary.

Todos los políticos dicen que van a (1. afrontar) _____ los problemas del pueblo.

También dicen que quieren (2. mejorar) _____ las condiciones de vida de los

ciudadanos. Para mí, es necesario que ellos (3. combatir) _____ los problemas

más graves ahora mismo. Quiero que ellos (4. promover) _____ unos comités

para estudiar estos problemas. También, les sugiero que (5. eliminar) _____

el desempleo ahora, dándole trabajo a la gente. Así pueden (6. ayudar) _____ al

mismo tiempo en la reconstrucción de las ciudades. No pueden (7. prevenir) _____

el desempleo totalmente en el futuro, pero hay que hacer algo ahora. El desempleo

(8. aumentar) _____ el número de crímenes y causa otros problemas sociales.

Si nosotros (9. apoyar) _____ a Vidal, es importante que él

(10. lograr) _____ soluciones para algunos de los problemas más graves.

15-14 Las promesas. You are running for an important political office. Write eight campaign promises, using the words or expressions from the word bank.

MODELO: *Si ustedes me eligen, eliminaré la contaminación del aire.*

la corrupción   la honestidad
la defensa   los impuestos
el desempleo   la inflación
la drogadicción   los programas sociales

1. _____

2. _____

3. _____

4. _____

5. _____

6. _____

7. _____

8. _____

Capítulo 15   ¿Te gusta la política?   **455**

¡Así lo hacemos! Estructuras

3. *Se* for unplanned occurrences

15-15 Problemas, problemas. Rewrite the following sentences, substituting each of the cues in parentheses to form three new sentences.

MODELO: A Carol se le rompió la silla. (a mí)
A mí se me rompió la silla.

1. A Vidal se le quedó el discurso en casa. (a nosotros, a ti, a mí)

   _____

   _____

   _____

2. Se me perdieron los editoriales. (a Ana, a Pedro y a Rodrigo, a nosotros)

   _____

   _____

   _____

3. Se nos olvidó asistir al foro (*forum*). (a ti, a mí, a mis asesores)

   _____

   _____

   _____

4. A Rodríguez y a Martín se les acabaron los discursos. (a las senadoras, a la representante, al gobernador)

   _____

   _____

   _____

5. A los obreros se les terminó su trabajo. (a nuestros padres, a nosotros, a ti y a tu hermana)

   _____

   _____

   _____

15-16 Excusas, excusas. Everyone has excuses. Follow the model and use the cues in parentheses to answer the following questions.

MODELO: ¿Dónde están las estadísticas? (perder/yo)
Se me perdieron.

1. ¿Por qué no oíste el discurso? (olvidarse/yo)

   _____ la fecha.

2. ¿Por qué no fueron al foro? (perderse/nosotros)

   _____ la dirección.

3. ¿Por qué no fue el dictador a la reunión? (dañarse [*to break*]/él)

   _____ el coche.

4. ¿Por qué no siguió Vidal con su programa? (acabarse/él)

   _____ el dinero.

5. ¿Por qué no vinieron ellos a almorzar con los representantes? (ocurrirse/ellos)

   _____ dormir la siesta.

6. ¿Por qué no llegó la reina? (irse/ella)

   _____ el tren.

7. ¿Por qué no escribieron los discursos los candidatos? (olvidarse/sus secretarios)

   _____ sus secretarios.

8. ¿Por qué no hay más programas sociales? (perderse/presidente)

   _____ el presupuesto.

4. The passive voice

15-17 ¡A cambiar! Rewrite each of the following statements in the passive voice, expressing the agent.

MODELO: El senado aprobó el presupuesto.
El presupuesto fue aprobado por el senado.

1. El dictador eliminó la democracia.

   La democracia _____ por el dictador.

2. El presidente aumentó el presupuesto.

   El presupuesto _____ por el presidente.

3. Los ciudadanos eligieron a sus representantes.

   Los representantes _____ por los ciudadanos.

4. Los candidatos de ese partido ganaron varios escaños (*seats*) en el congreso.

   Varios escaños en el congreso _____ por los candidatos de ese partido.

5. Yo perdí las elecciones.

   Las elecciones _____ por mí.

6. La corte suprema resolvió el problema.

   El problema _____ por la corte.

7. Los representantes hicieron el presupuesto.

   El presupuesto _____ por los representantes.

8. El congreso abolió el ejército y la compra de armas.

   El ejército y la compra de armas _____ por el congreso.

9. Los ministros controlaron la inflación.

   La inflación _____ por los ministros.

10. La reina visitó el Paraguay y el Uruguay.

    El Paraguay y el Uruguay _____ por la reina.

15-18 ¿Quién hizo qué? The president wants to know who took care of the following tasks. Answer the questions, based on the model.

MODELO: ¿Se redujo la tasa de desempleo? (el ministro)
Sí, la tasa de desempleo fue reducida por el ministro.

1. ¿Se estableció un programa de reciclaje? (el senado)

   _____

2. ¿Se le puso la multa a la fábrica? (el juez)

   _____

3. ¿Se promovieron los derechos humanos? (los representantes)

   _____

4. ¿Se eliminó la pobreza en esa ciudad? (la alcaldesa)

   _____

5. ¿Se combatió el crimen en el estado? (la gobernadora)

   _____

6. ¿Se aumentaron los impuestos? (el congreso)

   _____

7. ¿Se logró la desmilitarización? (los ciudadanos)

   _____

8. ¿Se buscaron más fondos para los programas de ayuda social? (los senadores)

   _____

15-19 Ante la prensa. Imagine that you are a candidate for the U.S. presidency and you are conducting a press conference. Answer the following questions by using complete sentences in Spanish.

1. ¿Cómo será combatido el crimen durante su presidencia?

   _____

   _____

2. ¿Qué impuestos se eliminarán?

   _____

   _____

3. ¿Qué se hará con el ejército?

_____

_____

4. ¿Cómo será reducida la tasa de desempleo?

_____

_____

5. ¿Cómo podrán ser aumentados los programas sociales?

_____

_____

5. *Pero* or *sino*

15-20 Habla el pueblo. Find out what the people and candidates want by completing each statement with **pero** or **sino.**

1. Los trabajadores no desean más impuestos, _____ más aumentos.

2. Nosotros queremos elegir a Vidal, _____ no podemos votar.

3. Antonio y Sebastián no pronuncian un discurso, _____ que repiten el lema.

4. Mis amigos prefieren más programas sociales, _____ no quieren pagar por ellos.

5. Él quiere ser senador, _____ teme pronunciar discursos.

6. Ellos no piensan ser representantes, _____ gobernadores.

7. No deseamos la dictadura, _____ la democracia.

8. No prefiero a este candidato, _____ al otro.

9. Me gusta Vidal, _____ no me gusta su partido.

10. No voy a votar por él, _____ por su contrincante.

15-21 El discurso de Vidal. Complete Vidal's speech by filling in the blanks with **pero** or **sino.**

Estimados amigos:

Nuestro pueblo busca un nuevo camino, (1) _____ tenemos que buscarlo con

más entusiasmo. Necesitamos tener más programas sociales, (2) _____ no

queremos tener más impuestos. No queremos división, (3) _____ cooperación.

No queremos más crimen, (4) _____ más ayuda para combatir el crimen. No les

pido que voten por mi partido, (5) _____ por la democracia. Queremos una

democracia, (6) _____ una democracia que sea para el pueblo. Yo quiero que

ustedes voten, (7) _____ voten por mí. Muchas gracias.

NUESTRO MUNDO

Panoramas

15-22 ¡A informarse! Based on the information from **Nuestro mundo** on pages 526–527 of your textbook, decide if the following statements are **cierto (C)** or **falso (F).**

1. Todos los idiomas que se hablaban en las Américas antes de la llegada de Colón han desaparecido.

2. Los mayas dominaban el sur de México y partes de Centroamérica.

3. Los mayas no tenían talento arquitectónico.

4. Los jeroglíficos fueron usados por los mayas para transmitir historias y leyendas.

5. Los aztecas tenían dos calendarios diferentes.

6. No hay restos del náhuatl en el español.

7. Los incas eran expertos en la confección de joyas de oro.

8. El guaraní todavía es idioma oficial en el Paraguay.

9. Las celebraciones hispanas están libres de cualquier influencia indígena.

10. La celebración del día de los muertos representa la fusión de la tradición cristiana e indígena.

15-23 Tu propia experiencia. Use the Internet or library resources to further research the indigenous influence in Hispanic celebrations. Choose a traditional celebration in any Hispanic country and explain the origin and meaning of the celebration.

_____

_____

_____

_____

_____

Taller

15-24 Mi programa electoral y mi lema

Primera fase. Imagine that you are running for an elected office. To help you establish your platform, list, in Spanish, your position on ten issues. The issues can be local, national, and/or international.

_____

_____

_____

_____

_____

Segunda fase. Based on the platform you established in the **Primera fase,** create one or more slogans for your campaign.

_____

_____

_____

_____

_____

Nombre: _____ Fecha: _____

15-25 Partidos políticos. Select a Spanish-speaking country that interests you and use the Internet or library resources to find information on the political parties in that country. Find the names of the more prominent parties and general information on the platform of each party. Then indicate which party you might favor and why.

PAÍS: _____

PARTIDOS POLÍTICOS PRINCIPALES: _____

_____

_____

_____

PROGRAMAS ELECTORALES

PARTIDOS: _____

_____

_____

_____

PARTIDOS: _____

_____

_____

_____

PARTIDOS: _____

_____

_____

_____

EL PARTIDO POLÍTICO QUE YO PREFIERO: _____

_____

_____

_____

_____

15-26 Más allá de las páginas: La inmigración. "Bajo la alambrada" provides a small glimpse of the dreams and frustrations of immigrants who try to come to the U.S. to work. There are many opinions for and against legislation to restrict immigration and immigrant rights. Make a list of five advantages and disadvantages concerning immigration. Your list should be based on your knowledge of the situation, on interviews with people in your community who are informed on immigration issues, or on information researched on the Internet or in the library.

LA INMIGRACIÓN

VENTAJAS	DESVENTAJAS
_____	_____
_____	_____
_____	_____
_____	_____
_____	_____

¿Cuánto sabes tú?

15-27 ¿Sabes usar el subjuntivo con antecedentes indefinidos o inexistentes? Fill in the blanks with the appropriate form of the present subjunctive or present indicative, depending on the context.

1. Busco un candidato que (ser) _____ responsable y honesto.

2. Necesitamos al alcalde que (lograr) _____ unir al pueblo.

3. No hay nadie que (poder) _____ acabar con la pobreza.

4. ¿Conoces algún político que (preocuparse) _____ por el problema de la

    violencia?

5. Buscamos al juez que (aprobar) _____ leyes en favor de los derechos

    humanos.

6. Hay un presidente que (trabajar) _____ para la democratización de su país.

15-28 ¿Sabes usar los pronombres relativos? Fill in the blanks using the appropriate relative pronouns **que, quien,** or **lo que.**

1. La cámara de diputados discutió la ley _____ soluciona el problema del

   desempleo.

2. José, _____ es pacifista, está en contra de una intervención militar.

3. La ley _____ aprobaron favorece a los más necesitados.

4. No nos gustó _____ dijo el alcalde sobre los impuestos municipales.

5. El chico con _____ estudio está interesado en la política.

6. _____ no entiendo es la violación de los derechos humanos.

15-29 ¿Sabes usar el *se* involuntario? Answer the following questions, using **se** for unplanned occurrences, and fill in the blanks with the missing pronoun and the appropriate preterit form of the verbs in parentheses.

1. ¿Votaste en las últimas elecciones generales?

   No, se (olvidar) _____.

2. A Eduardo se (caer) _____ los papeles en la calle.

3. A los políticos se (perder) _____ el discurso que habían preparado.

4. A ti se (ocurrir) _____ ideas muy buenas.

5. A mí se (romper) _____ el disquete que contenía el discurso.

15-30 ¿Sabes usar la voz pasiva. Fill in the blanks to give the passive voice of the following sentences.

1. Los ciudadanos votaron por el presidente.

   El presidente _____ por los ciudadanos.

2. Los diputados discutieron la nueva ley de inmigración.

   La nueva ley de inmigración _____ por los diputados.

3. El ejército desarmó a los rebeldes.

   Los rebeldes _____ por el ejército.

4. Los dos países firmaron la paz.

   La paz _____ por los dos países.

5. El foro (*forum*) de los estudiantes decidió las nuevas medidas.

   Las nuevas medidas _____ por el foro de los estudiantes.

15-31 ¿Sabes usar *pero* y *sino*? Fill in the blanks to complete the following sentences, using **pero** or **sino**.

1. El gobierno quería subir los impuestos, _____ no lo hizo.

2. No hablaron de la paz, _____ de desarme.

3. No quiero votar, _____ es mi deber como ciudadano.

4. Apoyo las decisiones del gobierno, _____ algunas no son correctas.

5. No quiero hablar con el senador, _____ con el diputado.

6. La paz no debe ser un sueño, _____ una realidad.

Lab Manual

PRIMERA PARTE

¡Así es la vida!

15-32 Una entrevista con el presidente. As you listen to the following conversation, select the letters for all statements that are correct, according to what you hear. Listen to the conversation as many times as is necessary to find all the correct answers.

1. La reportera Marta quiere...

   a. hablar de su vida social.

   b. que el presidente firme papeles.

   c. entrevistar al presidente.

2. El presidente ofrece...

   a. varias soluciones.

   b. algo de comer.

   c. algo de beber.

3. El presidente se preocupa por...

   a. la economía.

   b. la pobreza.

   c. los impuestos.

4. La entrevista...

   a. es muy chistosa.

   b. tiene varias interrupciones.

   c. termina rápidamente.

5. Marta...

   a. no termina la entrevista.

   b. fija otra cita.

   c. se despide del presidente.

6. Jaime...

   a. es asistente del presidente.

   b. trae el periódico.

   c. trae agua mineral.

¡Así lo decimos! Vocabulario

15-33 ¿Qué es eso? Choose the word or expression that best completes each sentence you hear. Then listen and repeat as the speaker gives the correct answer.

1. a. un arma

    b. un ciudadano

    c. un desarme

2. a. ejército

    b. compra

    c. paz

3. a. la democratización

    b. el esfuerzo

    c. la compra

4. a. pacifista

    b. país en desarrollo

    c. desperdicio

5. a. la democratización

    b. la desmilitarización

    c. la pobreza

6. a. abolir

    b. firmar

    c. lograr

7. a. la compra

    b. el desarme

    c. el desperdicio

¡Así lo hacemos! Estructuras

1. The subjunctive with indefinite and nonexistent antecedents

15-34 El nuevo general del ejército. Form sentences using the cues provided. Then listen and repeat as the speaker gives the correct answer.

MODELO: You see: (yo) buscar / una resolución / promover / el desarme
        You say: *Busco una resolución que promueva el desarme.*

1. (nosotros) buscar / un aspirante / ser / capaz

2. (yo) conocer / a un candidato / promover / los derechos humanos

3. (ellos) necesitar / un lema / empezar / con "Presidente..."

4. (ellos) tener / un ejército / fortalecer / su causa

5. haber / un ciudadano / ser / pacifista

6. (nosotros) querer / una resolución / no incluir / violencia

15-35 ¡Quiero ser activista! Change each of the following sentences to the opposite. Follow the model. Then listen and repeat as the speaker gives the correct answer.

MODELO: You see: Tengo un auto que es rojo y blanco.
        You say: *Busco un auto que sea rojo y blanco.*

1. Tengo un activista que me informa acerca de la opresión.

2. Tienen unas armas que son del ejército.

3. Tienes un mapa que es del Ecuador.

4. Tengo una resolución que procura inspirar la paz.

15-36 Cuando era más joven. Answer the questions that you hear, which refer to your past using the cues provided. Follow the model. Then listen and repeat as the speaker gives the correct answer.

MODELO: You hear: ¿Qué buscabas?
        You see: una vida / no tener / conflictos
        You say: *Buscaba una vida que no tuviera conflictos.*

1. unos esfuerzos / abolir / pobreza

2. un padre / fortalecerme

3. un gobierno / no promover / hostilidad

4. un país en desarrollo / sufrir / mucho conflicto

2. The relative pronouns *que, quien,* and *lo que*

15-37 El secretario explica todo. Complete the following sentences using the cues provided and the expressions **que, quien(es),** or **lo que.** Then listen and repeat as the speaker gives the correct answer.

1. El señor _____ llamó ayer es mi padre.

2. Eso es _____ no me gusta.

3. Ése es el chico con _____ viajé.

4. Verte contenta es _____ me importa.

5. La agencia _____ vende los pasajes es Costamar.

6. Los pasajeros de _____ hablamos están allí.

7. Aquella señorita es la aeromoza _____ me atendió.

8. Aquel señor es el piloto a _____ le dieron el trabajo.

9. Ésa es la chica de _____ te hablé.

10. _____ tienes que hacer es estudiar más.

11. La persona con _____ hablaste es mi hermana.

12. ¿Por qué no me dices _____ estás pensando?

SEGUNDA PARTE

¡Así es la vida!

15-38 Un debate presidencial. As you listen to the following debate, select the letters for all statements that are correct, according to what you hear. Listen to the debate as many times as is necessary to find all the correct answers.

1. La moderadora quiere...

    a. hablar de su vida social.

    b. que el presidente firme papeles.

    c. hablar con los dos candidatos.

2. El presidente describe...

    a. ideas para mantener el poder en el mundo.

    b. el proceso de las elecciones.

    c. ideas corruptas.

3. El presidente quiere mejorar los problemas con...

    a. la economía.

    b. el desempleo.

    c. el discurso.

4. El debate...

    a. es importantísimo.

    b. mejora nuestro entendimiento de los candidatos.

    c. termina con mucho aplauso.

5. El señor Montañez cree...

    a. que no termina la entrevista.

    b. que es importante controlar el problema de las drogas.

    c. en un gobierno honrado para el pueblo.

6. El señor Montañez...

    a. quiere establecer un gobierno que mejore la situación económica nacional.

    b. piensa que los asuntos internacionales deben tener precedencia.

    c. insiste en aumentar los impuestos.

7. El presidente...

    a. subirá los impuestos en el segundo año.

    b. combatirá la drogadicción.

    c. piensa en la visión global.

¡Así lo decimos! Vocabulario

15-39 ¿Qué es eso? Complete the following sentences with words from the vocabulary in **¡Así lo decimos!** on page 515 of your textbook. Then listen and repeat as the speaker gives the correct answer.

1. El _____ del ciudadano es votar en las elecciones.

2. El _____ es el gobernante de una ciudad.

3. Las _____ tratan de combatir la corrupción.

4. El _____ y la _____ son los jefes de una monarquía.

5. La _____ es el tipo de gobierno opuesto a la democracia.

6. Algunos gobiernos gastan mucho dinero en _____ y armas.

7. Este _____ trabaja para la corte federal.

8. Cuando no hay trabajo, hay mucho _____.

9. Los _____ _____ ayudan a mucha gente que tiene poco

    dinero.

10. La primera _____ de Nicaragua fue Violeta Chamorro.

¡Así lo hacemos! Estructuras

3. *Se* for unplanned occurrences

15-40 Lo que nos pasó durante el día de elecciones. Form sentences using the cues provided. Then listen and repeat as the speaker gives the correct answer.

MODELO: You see: (a él) / ocurrirse / una buena idea
You say: *Se le ocurrió una buena idea.*

1. (a ella) / perderse / las llaves

2. (a ti) / olvidarse / el nombre del candidato

3. (a ellas) / quemarse / la hamburguesa

4. (a nosotros) / olvidarse / las elecciones

5. (a ustedes) / caerse / los papeles

6. (a ti) / quedarse / las llaves

7. (a usted) / perderse / los carteles políticos

8. (a mí) / caerse / el vaso

4. The passive voice

15-41 La campaña. Form sentences using the cues provided. Then listen and repeat as the speaker gives the correct answer.

MODELO: You see: los impuestos / aumentar / el congreso
You say: *Los impuestos fueron aumentados por el congreso.*

1. las cartas / escribir / ti

2. el senado / controlar / los republicanos

3. el presupuesto / preparar / el secretario

4. los cheques / firmar / el representante Álvarez

5. la presidenta / elegir / la gente

6. los candidatos / apoyar / el gobernador

15-42 Después de las elecciones. Change the sentences that you hear to the passive voice. Then listen and repeat as the speaker gives the correct answer.

1. ...

2. ...

3. ...

4. ...

5. ...

5. *Pero* or *sino*

15-43 Los resultados. Form sentences using the cues provided. Then listen and repeat as the speaker gives the correct answer.

MODELO: You see: reducirá la tasa de desempleo / no combatirá la inflación
You say: *Reducirá la tasa de desempleo, pero no combatirá la inflación.*

1. no sería dictadura / democracia

2. ellas querrían ganar las elecciones / no son candidatas

3. Mercedes no eliminó el desempleo / la corrupción

4. él no es el alcalde / el gobernador

5. nosotros no queremos apoyar a la presidenta / a su contrincante

¿Cuánto sabes tú?

15-44 En la oficina del Cuerpo de Paz. Answer the questions that you hear using the cues provided to respond affirmatively or negatively. Then listen and repeat as the speaker gives the correct answer.

MODELO: You hear: ¿Conoces a alguien que sea de Bolivia?
You say: Sí, conozco a alguien que es de Bolivia.
        or
You write and say: *No, no conozco a nadie que sea de Bolivia.*

1. No, _____.   3. No, _____.

2. Sí, _____.   4. Sí, _____.

15-45 De viaje después de las elecciones. Answer the questions that you hear using the cues provided. Then listen and repeat as the speaker gives the correct answer.

MODELO: You hear: ¿Se te rompieron los libros?
You see: la libreta
You say: *No, se me rompió la libreta.*

1. los periódicos importantes   4. los pasaportes

2. la computadora   5. la cámara

3. la maleta

15-46 Preguntas personales. Write an appropriate response for each question or statement that you hear. Because answers will vary, compare your answers to the answers that are provided. Then read your response aloud to practice communication and pronunciation.

1. _____

2. _____

3. _____

4. _____

5. _____

6. _____

7. _____

8. _____